日本語プロフィシェンシー研究

Journal of the Japanese Association of Language Proficiency

第8号
2020.6

JALP　日本語プロフィシェンシー研究学会
Japanese Association of Language Proficiency

JN118722

にほんごの
凡人社
BONJINSHA

日本語プロフィシェンシー研究　第8号

目次

日本語プロフィシェンシーとオノマトペ

―ジャンル別プロフィシェンシーへの提言―

岩﨑典子 (南山大学)

要旨

　オノマトペは日本語に豊富で、ヴィヴィッドで臨場感のある描写を可能にし、日本語教育においても重要な語彙であるとされる (Makino & Tsutsui, 1986) が、オノマトペを使わずとも細かい描写も可能で、上級や超級レベルでも OPI や描写タスクでオノマトペを使わない話者も少なくない (Iwasaki 2017a, b; Iwasaki & Yoshioka, 2019)。しかし、オノマトペは、社会的目的で分類した「物語る」、「料理の手順を説明する (レシピ)」、「商品をアピールする (広告)」などのジャンルでは、感覚に訴えて具体的にわかりやすく描写して聞き手や読み手を楽しませたり、人を引きつけたりするのに重要な語彙である。従って、特定のジャンルにおける日本語オノマトペの役割を理解することがオノマトペ習得の動機付けとなり、オノマトペの習得を促すと考えられる。

　本稿では、特定のジャンルにおけるオノマトペの重要性を示し、広告 (CM) に注目した初級レベルの学生を対象にしたジャンル準拠の日本語指導 (行木・岩﨑 , 2019) が、母語の同ジャンルの語彙・表現との違いや広告における日本語オノマトペの役割の理解を促したこと、ジャンル準拠の中級・上級教科書 (Iwasaki & Kumagai, 2016) による指導で、ショートストーリーにおけるオノマトペの役割の理解がオノマトペへの関心を高めて使用を促したことを報告する。さらに、多様な目的で日本語を学習する学習者への指導のために、ジャンル別にプロフィシェンシーを考えることを提言する。

キーワード：オノマトペ、擬音語・擬態語、ジャンル、日本語プロフィシェンシー、OPI

Japanese Proficiency and the Use of Mimetics

Genre-based approach to Japanese proficiency

Noriko Iwasaki (Nanzan University)

Abstract

Japanese has a rich inventory of mimetics, including not only typical onomatopoeias, which mimic sounds and voices, but also words referring to manners and states of visual, tactile sensations. Mimetics are considered indispensable in Japanese because they are vital in vivid, at-the-scene descriptions of events, heightened feelings, and sensations such as highly enjoyable tastes. For this reason, it is considered important for learners of Japanese as a second language (L2) to acquire mimetics. At the same time, however, mimetics are reported to be very difficult for L2 learners of Japanese.

Despite their importance, mimetics are not always systematically incorporated into the syllabus, possibly because many of them are used as adverbs (which are not compulsory elements in sentences) and because they are regarded as informal, casual language. These views may stem from the fact that mimetics are essential only in some genres ("genres" defined as similar groups of texts sharing social purposes and recognised ways of using language) , such as narratives.

This paper first reviews previous investigations of L2 Japanese learners' use of mimetics in relation to their language proficiency, mostly assessed by Oral Proficiency Interviews (OPI) developed by ACTFL, and it then reports how genre-based approaches in Japanese language teaching promote L2 Japanese learners' awareness of the role of mimetics. Finally, it argues for the importance of a consideration of genres in the learning and teaching of mimetics, and for a reconceptualisation of language proficiency through the incorporation of genres in Japanese language education, in order to meet the needs of diverse L2 Japanese learners aiming to use Japanese for different social purposes.

Keywords: mimetics, sound-symbolic words, genre, proficiency, OPI

1. はじめに

1.1 オノマトペとは

「オノマトペ」は、音や声を模倣する語だけではなく、語音と意味に関係性 (音象徴) が認められ、音のイメージが象徴的に様態や感覚などを示す語も含む語彙である。従来は「擬音語」・「擬声語」・「擬態語」・「擬情語」などと意味の領域ごとに区別して称されることが多かったが、近年は総称的に「オノマトペ」と呼ぶことが多い。本稿でも主に「オノマトペ」という用語を用いるが、先行研究に準じて「擬音語・擬態語」という用語を使う場合は同義語として用いる。

1.2 日本語教育におけるオノマトペの位置付け

オノマトペは日本語に豊富で、生き生きとしたヴィヴィッドな臨場感のある表現を可能にする重要な語彙であり、日本語教育においても指導の必要性がある極めて重要な項目とされる (秋元, 2007; Makino & Tsutsui, 1986)。しかし、オノマトペは文を構成する必須成分ではない副詞であることが多いため、初級レベルの基本語彙には含まれず、中級以上でも系統立てて指導されることなく、中・上級レベルで生教材が使用されると「突然多くのオノマトペに出会う」ことになるという (秋元, 2007, 9)。

補助的な教材やリソースは、用法の辞典 (阿刀田・星野, 1995)、絵教材 (富川, 1997)、例文・問題 (日向・日比谷, 1989)、ウェブ教材 (国立国語研究所, 2004-2007) など、数多く開発されてきた。また、秋元 (2007) が提案する、コーパスなどを利用した基本的なオノマトペのリストの作成も行われてきた (三上, 2006; 獅々見, 2016)。しかし、いずれも十分に生かされていないようである。

秋元 (2007) によると、オノマトペを教えることに消極的な理由の1つはオノマトペが日常的、口語的な語であり、「どうしてもくだけた感じがする」ことであるという。また、獅々見 (2016) は、海外の現地人同僚がオノマトペを「幼児と女性が使っている言葉」と認識して重視していなかったことを紹介しており、オノマトペを重要語彙とはしない意識が日本語教育におけるオノマトペの消極的な扱いの一要因のようである。

このように日本語教育者や学習者の間でオノマトペを重要語彙と認識されていない理由は、オノマトペがいつ、どのような時に使うのが有効であるのか、それが学習者の日本語使用の目的達成に役立つのかどうかについての認識が欠如していることであると考えられる。

1.3 オノマトペはどんな時に有用な語彙なのか

　有賀 (2007, 67) は、オノマトペを「描写力のある語」と捉え、オノマトペに限らず、「描写力のある語」は、「論文や取扱説明書などと違い、事物を描写して聞き手の心情に訴える文章」において描写力がものを言うとし、「学習者がどのような文章を読みたい (書きたい) かで、このような「描写力のある語」をどの程度まで学習すべきかが変わってくる」と述べる。この有賀の言う、「どのような文章か」ということは、書きことばに限らず、話しことばにも該当する。オノマトペは、有賀 (2007, 70-71) が指摘するように、「特定のメディアやジャンルに頻出」し、その効力を発揮するのである。

1.4 本稿の目的

　筆者は、どのレベルでどのオノマトペを指導すべきかを考えるというのではなく、有賀 (2007) が述べるように、その学習者 (個人、またはグループ) が日本語を使って何をしたいのかによって、オノマトペをどの程度まで指導するべきか、どのオノマトペが重要なのかが決まると考える。

　本稿では、「何をしたいか」を考えるために、「ジャンル」の概念が有益であることを論じ、日本語プロフィシェンシーとオノマトペの使用・指導との関係性を考える。まず、先行研究を参照し、OPI判定による日本語プロフィシェンシーのレベルとオノマトペの使用についてどのような報告がされているかを概観した上で、オノマトペは「ジャンル」(詳しくは 3.1) との関係性を重視して研究し、それに基づいて指導する必要性があることを論じる。そして、ジャンル準拠の日本語教育の実践例でのオノマトペの学びを報告してジャンルの意義を裏付ける。最後に、日本語プロフィシェンシーの概念そのものもジャンル別に考え、学習目標のジャンルのプロフィシェンシーを高めるためにオノマトペが重要なのかどうか、どのオノマトペが重要なのかを判断して指導することを提言する。

2. L2 日本語プロフィシェンシーとオノマトペ

　日本語学習者はオノマトペの習得が困難であると感じていることが報告されている (秋元, 2007) が、日本語に熟達すれば、オノマトペも使用できるようになるのだろうか。言い換えれば、日本語能力・日本語プロフィシェンシーが高くなれば、オノマトペを使えるのであろうか。日本語プロフィシェンシーの測定で最も一般的で信頼性があると考えられるのが、ACTFL の Oral Proficiency Interview (OPI) であるが、OPIで高いレベルと判定される第

二言語 (L2) としての日本語話者は、オノマトペを数多く使うのか。以下、まず、日本語能力試験1級[1]に合格している中国語話者のオノマトペの使用に関する先行研究と、OPI判定によるプロフィシェンシーのレベルとオノマトペの使用を調査した先行研究を概観する。

2.1　日本語能力試験1級の学習者の場合

　中石・佐治・今井・酒井 (2011) は、日本語能力試験1級を取得し、一般的に日本語能力が高いと考えられる中国語母語の学習者 (10名) を対象に39項目のオノマトペの産出を2つの課題 (アニメーションを見てオノマトペをキーボード入力する、各オノマトペを用いて一文を作る) で調査した。その結果、正答率はそれぞれ低く (24.4%、28.7%)、日本語能力試験1級に合格していてもオノマトペを使うことが難しいことが示された。

　この調査結果で興味深いのは、アニメーションを見て、母語話者の多くが産出するオノマトペを10名のうち誰も思いつかない場合でも、作文課題では答えられる学習者がいたという報告である。例えば、ゴミをゴミ箱に投げ捨てるアニメーションに対して「ぽいぽい」や、ハサミで紙を切るアニメーションに対して「ちょきちょき」を誰も思いつかず、代わりにゴミ捨てには「ばらばら」、ハサミで紙を切る場合には「さらさら」などと答えていたが、オノマトペを与えられれば、「子どもはよくおもちゃをあっちこっちにポイポイ捨ててる」、「子どもたちはみんな真剣に紙をちょきちょきと切り、作品を作ろうとしている」のように、適切な文を作ることができる学習者が10名中各2名いたということである。このことは、それぞれのオノマトペを産出はできなくとも、何らかの知識はあり、オノマトペの「産出」の習得と「知識」・「理解」の習得に差異がある可能性を示唆している。

2.2　OPIデータにみられるオノマトペの使用

　OPIのデータでオノマトペを使用しているかどうかを調査した先行研究がいくつかある。荻原・齊藤・増田・米田・伊藤 (2001) は、上級・超級のL2話者[2]の発話の特徴を明らかにすることを目的として、上級 (上・中・下) と超級、加えて母語話者のOPIをそれぞれ2本ずつ (各レベルのL2話者2名ずつの発話と母語話者2名、計10名の発話) を分析した。語

---

1) 日本語能力試験が改定され、2010年以降はレベル分けが変更されたが、新・旧どちらの試験なのかについて注釈はなかった。出版年から旧試験の1級であると考えられるが、新試験のN1とほぼ同じレベルと考えられる。本稿では、原典にのっとって「1級」とする。
2) OPIの対象となった日本語話者は、必ずしも日本語を学習中とも限らず、「学習者」というより「使用者」である。従って、本稿では、L2話者、L2日本語話者と呼んでいる。

彙の分析では表現を豊かにするためのオノマトペの使用にも注目し、金田一 (1978)[3] に基づいて擬音語・擬態語を判別して使用頻度を調べ、上級-下では、オノマトペの使用が全くなかったが、それ以上では、各話者 1 ～ 6 種を使用していたと報告している。上級 (中・上) と超級のそれぞれのOPIにおけるオノマトペの使用の詳細は報告されていないため、レベルが高いほどオノマトペの使用が増すというわけではないようである。また、母語話者 2 名のうち 1 名は 4 種のみ、もう 1 名は 10 種使用していたため、個人差もあることを示唆している。

　桜井 (2003) は、どのレベルでオノマトペが使えるようになるのかを明らかにすることを目的に、OPI判定が中級 (上・中・下)、上級 (上・中・下)、超級の韓国語を母語とするL2日本語話者のOPIデータ (各レベル 4 本ずつ) を分析した。その結果、OPIのレベルが上がるにつれて擬音語・擬態語の使用が増え、上級-中以上でオノマトペを「使いこなすようになる」と報告している。桜井は、玉村 (1989) の擬音語・擬態語の最重要語リスト (18 語) に注目し、上級-下以下と上級-中以上で最重要オノマトペの使用数に格差があることから、上級-中以上ではオノマトペを使いこなせると判断している。しかし、この最重要語リストには、オノマトペ辞典 (Kakehi, Tamori, & Schourup, 1996; 小野 (編), 2007; 山口 (編), 2003) に掲載されていない、一般語彙とみなされる語 (ちょっと、ちょうど、もっと、やっと、ようやく) が含まれる。また、桜井の調査では、ほかにも「いきいき」「いちいち」など、通常オノマトペとはみなされない語もオノマトペとして分析されていた。そこで、桜井 (2003, 147) の表 6 (「内容の分布」) からこれらを除外すると、まず中級-中のOPIで 3 語のオノマトペ (ワー、ワァワァー、びっくり) が出現し、中級-上、上級-下では、それぞれ 1 語、2 語のみ使用されていた。これに対し、上級-中、上級-上、超級では、8 語、6 語、22 語の使用がある。したがって、レベルが上がるにつれてとは言い難いが、確かに上級-中以上のOPIでオノマトペの使用が多くなっている。ただし、桜井 (2003, 147) も述べるように、「中級のタスクは単純なもので洗練された描写や叙述の必要のない簡単な事実のやりとり」である。中級話者がこのタスク以上を遂行できないためオノマトペの使用が見られなかったとも解釈できるが、L2話者の能力に起因しているというより、上級-下以下のOPI内ではオノマトペを使用する機会をあまり与えられなかったとも考えられる。

　筆者も、プロフィシェンシーのレベルとオノマトペの使用の関係を明らかにするために、KYコーパス (詳しくは、鎌田, 2006) のOPIデータのオノマトペの使用を調査した (Iwasaki,

---

3) 荻原ほか (2001) は金田一 (1978) として引用しているが、浅野鶴子 (編) の辞典に金田一春彦の概説が加えられた文献のようである。

2017a)。KYコーパスには、英語・中国語・韓国語を母語とするL2日本語話者のOPIそれぞれ30本ずつ（初級5名、中級10名、上級10名、超級5名）を文字化したものが収められている。筆者は、L2話者の母語の影響にも関心があったため、日本語のオノマトペに相当する語彙が多いとされる韓国語と、少ないとされる英語を母語とするL2日本語話者を比較するためにKYコーパスの英語母語話者と韓国語母語話者のオノマトペの使用を比較した。

　その結果、英語話者のOPIで、より多くのオノマトペが使用されており、このコーパスのデータに基づく調査では、母語の影響は見られなかった。また、英語話者のOPIでも韓国語話者のOPIでも中級からオノマトペが出現するものの、使用数は少なかった。英語、韓国語のどちらのOPIでも中級-上のレベルで、交通事故（事故そのものの描写、事故を見た後の心理状態）についてオノマトペの使用を試みており、上級-上では、人の気質の比較（大阪と京都、ソウルと大阪）で使用していた。レベルが高いほど多くのオノマトペを使用していたということはなく、韓国語話者の場合は、超級より上級の話者のほうがより多く使用していた。以下は、英語話者7と韓国語話者4のOPIからの抜粋で、L2話者が使用したオノマトペはゴシックで示している。カッコ内はテスターの発話で、抜粋2のTはテスター、SはL2話者である。

KYコーパス抜粋1（英語母語話者7 上級-上）
　　大阪の方はやっぱりペースが早くっ〈うん〉て、人が何か**てきぱき**してるような感じですね、〈ふん、ふん、ふん〉京都の方は、やっぱり伝統、があって、〈うん〉歴史も、まあ大阪も歴史長いんですけど、〈うんうん〉あのー、京都の方は何か伝統的、伝統が多いんです〈うん〉から皆が何か、日本ぽくてね、〈あ、日本ぽい〉日本人ぽいね。

KYコーパス抜粋2（韓国語母語話者4 上級-上）
　　S　：えーみんなが**しゃきしゃき**してる所は似てるんですけど、〈ん〉見た目は、そんなにかわらないんですけど〈ん〉（中略）
　　T　：なるほどね、あの、みんながしゃきしゃきってどういう意味
　　S　：だからもう忙しくて、〈はーはー〉**パッパッ**と、〈あー〉済ましてしまったり、〈はーはー〉もう**テキパキテキパキ**っていう〈なるほどね〉感じがするんですけれども、〈はーはー〉その中でもその、**べったり**、っていう所が、〈うん〉どこかにあるんですよね。

11

　事故について説明することや、ある特定の人々の気質を比較して描写することは、上級の
タスクであると考えられる。そのため、中級·中より低いレベルでオノマトペの使用が見ら
れなかったのは、必ずしも話者のプロフィシェンシーによるのではなく、OPIでオノマトペ
を使用する機会が十分になかった可能性もある。

2.3　オノマトペが有用な場面描写における L2 日本語話者のオノマトペ使用

　OPIでは、レベル判定の要となるタスクがレベルごとに異なるため、Iwasaki (2017b) で
は、日本語母語話者がオノマトペをよく使う、すなわち、オノマトペの使用を誘引すると思
われるタスクを英語母語·韓国語母語のL2日本語話者に課し、そのタスクとは別に参加者
のプロフィシェンシーをOPIで判定した。参加者のタスクは、提示されたビデオの内容を、
ビデオを見ていない、ほぼ同年代の日本語母語話者に説明することで、ワーナー·ブラザー
スのアニメ『ルーニー·テューンズ』の場面 (約 40 秒を 2 本) のうち、特に日本語母語話者
がオノマトペを多用した移動事象の場面 (例えば、ネコのシルベスターが坂を転がり落ちる
場面 [4]) の描写に注目し、中級·上級のL2日本語話者 (英語母語話者 13 名、韓国語母語話者
18 名) のオノマトペの使用を分析した。移動事象の描写にオノマトペが多く使用されること
は知られている (例えば、Kita, 1997)。その結果、中級·中以上の話者は、英語母語のL2日
本語話者も韓国語母語のL2日本語話者もオノマトペを使っており、必ずしもレベルが高い
ほど多く使っていたわけではなかった。さらに、Iwasaki & Yoshioka (2019) は、このアニ
メの場面の描写のほかに、日本語母語話者がオノマトペを多用したハリケーンと地震の短い
実写ビデオ (約 10 秒を 2 本) の描写も分析し、日本語プロフィシェンシーとオノマトペ使用
との関係を調査した。その結果、英語母語のL2日本語話者も韓国語母語のL2日本語話者も、
中級·上、上級·下レベルのほうが、よりレベルの高い上級·中以上の話者よりもむしろ多くの
オノマトペを使用していた。

2.4　日本語プロフィシェンシーとオノマトペに関する先行研究のまとめと示唆

　中石ほか (2011) の調査では、日本語能力試験 1 級の日本語能力の中国語話者にも、オノ
マトペの産出は容易ではなかったが、産出はできなくとも、オノマトペが示されれば、文で
使える場合もあった。産出の機会よりも読み手や聞き手としてオノマトペにより多く遭遇し

---

4) 岩﨑 (2017, 95, 97) は、この移動事象の描写の母語話者と L2 話者のオノマトペの使用例を示している。

ていた可能性がある。オノマトペは、文を構成する必須成分であることは比較的少なく、オノマトペの表す意味は非オノマトペの類義語で表せる場合も多いため、各L2話者がオノマトペを産出するかどうかは、どの程度「描写力のある語」を使う必要がある場面に遭遇しているのか、または、どの程度描写力をもって表現したいのかにもよると考えられる。荻原ほか (2001) が日本語母語話者2名のオノマトペ使用の差から示唆した個人差は、「描写力のある語」の使用を好むかどうかによるところが大きいのではないだろうか。

　OPIにおいてオノマトペの使用が有効なのは、語り (ナレーション) と描写が重視される上級のタスクにおいてである。そのために桜井 (2003) やIwasaki (2017a) で上級話者のオノマトペ使用が中級より多かった可能性がある。すなわち、オノマトペの使用は、日本語プロフィシェンシーのレベルだけではなく、OPI内で語りや描写をどの程度求められたかにもよると考えられる。実際、オノマトペの使用が役立つとされる移動事象の描写 (Iwasaki, 2017b) では、中級話者も上級話者と類似した頻度でオノマトペを使用していた。

　先行研究の結果から、日本語能力試験で測られる「日本語能力」やOPIで判定される日本語プロフィシェンシーのレベルとオノマトペの使用頻度との間には関係性がないことが明らかになった。その理由の1つは、これらの評価法では、オノマトペを使ってこそ発揮できる描写力を能力基準の要素とはせず、描写力の生きるタスクを中心に評価するわけではないからであると考えられる。では、オノマトペは、どのような時 (場面・タスク・文章) に好んで使われ、その描写力を発揮するのだろうか。

3.　オノマトペはどのような時に使われるのか

　スコウラップ (1993) は、オノマトペの使用の分布からオノマトペの役割を明らかにするために、児童文学、小説 (中高生向け・一般、対話・本文別)、学術論文、新聞、マンガ (吹き出し内の台詞・台詞やナレーションとは独立している部分)、話しことばのオノマトペの使用頻度を調査した。書きことばについては、それぞれの文章のテキスト3種 (3冊、3紙) の3,000字ずつを分析し、句読点を除く1,000字あたりの語数[5] の平均値を産出した。オノマトペの使用頻度が高かったのは、児童文学 (1,000字あたり13.11) と、マンガの独立部分

---

5) スコウラップ (1993) は、書きことばについては「形態」数として報告し、話しことばについては「語」数として報告しているが、その違いについての説明がなかった。ここでは、語数とした。

(同 15.4[6]) であった。中高生向けの小説では児童文学より頻度が少なく (1.67)、一般小説ではさらに少なかった (1.39) が、どちらの小説でも対話より本文でオノマトペが多かった。マンガの台詞 (対話) 部分では、一般小説とほぼ同じ頻度 (1.44) でオノマトペが使われていた。新聞は全体的には頻度が少なかったが、広告ではオノマトペが数多く用いられ、スポーツ新聞のほうが一般紙よりオノマトペが多かった。学術論文では全く使われていなかった。

話しことば (1969-74 の『言語生活』の自然な会話の転写) では、小説よりもオノマトペの使用頻度が高かった (1,000 字あたり 2.05)。会話は、母語話者の判断によって分類され、くだけた話しことばとやや改まった話しことばでは使用頻度は同程度 (1 対話あたり 5.8、6.2) であったが、非常に改まった話しことばではではほとんど使われていなかった (0.8)。

これらの調査結果から、スコウラップ (1993) は、オノマトペが多く用いられているテキストの特性を、インフォーマルで「喚情的」であり、感情表出的な意味と密接に関係して、その実演性が直接的で個性的であると感じられ、人の注目を引くものであると論じた。

スコウラップ (1993) がオノマトペの使用頻度が高いことを確認したテキストのタイプ以外にも、オノマトペが頻出するテキストがある。料理・食品関係の手順 (料理本、レシピ)、レストランの口コミ・広告 (B・M・FTことばラボ (編), 2016) などである。また、スコウラップ が述べるように新聞にはさまざまなテキストがある。どのようなメディアのテキストか (書きことばか話しことばか、書籍か、新聞かウェブか)、何のためのテキストか (説明するのかアピールするのか) によって、オノマトペの特性が有効に働くのかどうかが異なる。

従って、まず、日本語オノマトペがどのようなテキストで有効な語彙なのかを指導することが必要である。さらに、学習目標となる特定のテキストを読む・書くこと、または、聞く・話すことを指導する際に、そのテキストにおいてオノマトペが重要な役割を果たすのならば、指導の必要があるのである。ここで「テキスト」という表現を用いて論じた文章の種類は、「ジャンル」として、英語教育などで生かされている。この「ジャンル」の概念を生かした日本語指導が、オノマトペの習得にも役立つと考える。

3.1 ジャンルとは

英語のライティング教育においてジャンル準拠の教育を提唱するHyland (2003) は、

---

6) 1,000 字の形態数は報告されていなかった。代わりに 3,000 字ずつ 3 冊のコミック (すなわち、合計 9,000 字) で計 139 形態との報告があったので、筆者が計算した。

Genreを以下のように定義している (Hyland 2003, 21)。

> Genre refers to abstract, socially recognised ways of using language. It is based on the assumptions that the features of a similar group of texts depend on the social context of their creation and use, and that those features can be described in a way that relates a text to others like it and to the choices and constraints acting on text producers.

　すなわち、ジャンルとは、ある社会的状況で、特定の目的のために使われるテキストの類で、それぞれ慣習化されたことばの使用 (構成、語彙、文体、方略) があり、その慣習や制約を踏まえて人はことばを産出して、目的を果たすという考えである。さらにHyland (2004, 5) は、この概念の理解により、教師は学生が目標とする学業・職業・社会的分脈でどのようなテキストを書く必要があるのかを念頭に、学生のニーズに合うシラバスを作成することができると述べる。表 1 は、Hyland (2004, 29) がButt, Fahey, Feez, Spinks & Yallop (2000) とMartin (1989) に基づいて作成した表をジャンル名のみ英語を残して和訳したものである。

<表 1 >　　Hyland (2004, 29) のジャンル例

ジャンル	社会的目的	社会的な場
Recount 出来事の報告	過去の出来事を順を追って語る	個人的な手紙、警察の調書、保険金請求、事故報告書
Procedure 手順説明	どのように行うのか手順を示す	マニュアル、サイエンス・レポート、料理本、DIY の本
Narrative ナラティブ	楽しませ、経験の内省を通して教訓を与える	小説、ショートストーリー
Description 描写	想像上または現実の出来事を描写する	旅行パンフレット、小説、製品説明
Report 報告	分類して特徴を説明するなどして、事実関係的な情報を提供する	パンフレット、政府報告、ビジネス報告
Explanation 説明	状況や判断の理由を述べる	ニュース、教科書
Exposition 解説	ある論題を提案する理由を論じる	社説、エッセイ、解説

表 1 にあるジャンルのうち、日本語では、オノマトペの使用は、NarrativeやDescription、さらに、料理のProcedureで慣習化されている。ジャンルごとに使用頻度が異なるだけではなく、ジャンルごとに慣習化された用法もあると考えられる。

　スコウラップ (1993) は、児童文学でのオノマトペの使用は、生き生きとした描写のため

だけではなく、構造上の機能 (周期的な繰り返しで詩節を構成する、プロットの構成を際立たせる) があること指摘しており、児童文学のテキストにある特定の構造があることを示唆している。オノマトペの頻出するマンガでも、特定の構造が認められ、そのジャンル特有の用法でオノマトペが使用される (夏目, 2013; 日向, 1986)。例えば、マンガのオノマトペは、日本語教育の初歩で導入される典型的なものとは異なり、「自由で個性的にその場の感覚を基本として発想される」(日向, 1986, 59) ため、逸脱形、臨時形など変異形が多い。また、玉岡・木山・宮岡 (2011) は、新聞と小説のオノマトペと動詞の共起パターンを調査し、新聞より小説のほうが共起パターンが多様であることを報告している。

さらに、言語ごとにそれぞれのジャンルに特有の構造 (慣用的に使用される構成、語彙、文体など) があるため、日本語でオノマトペが多用されるジャンルがほかの言語でもオノマトペに相当する語彙が多用されるジャンルであるとは限らない。例えば、英語のマンガでは、日本語のマンガほど、オノマトペは使われない (夏目, 2013) が、韓国語のオンラインのレシピやコメンタリーでは、日本語以上にオノマトペが使われることが報告されている (Strauss, Chang, & Matsumoto, 2018)。また、彭 (2007, 54) は、中国語のオノマトペは、話しことばよりエッセイや小説に多く用いられると述べる。

従って、オノマトペを語彙として習得するには、それぞれの語の意味や用法を理解するだけではなく、オノマトペが日本語ではどんな役割を持ち、どのようなジャンルで役立つのかを知る必要がある。言い換えれば、オノマトペの役割を知ることが学習の動機付けにもなるだろう。殊に英語などオノマトペに相当する語彙の使用が少ない言語を母語とする学習者は、母語からの連想により、日本語オノマトペの役割を誤解して軽視する可能性もある。そこで、まずは、初級から、日本語ではオノマトペが有用なジャンルがあることを認識し、オノマトペの役割を理解することが重要である。さらに、あるジャンルのテキストを読むプロフィシェンシー、書くプロフィシェンシー、聞くプロフィシェンシー、話すプロフィシェンシーというように、それぞれジャンル別にプロフィシェンシーを捉えて、その該当ジャンルでどのような語彙、文型、文体が役立つかを考えるジャンル準拠の日本語指導をすれば、オノマトペが有効なジャンルの学習において、オノマトペの習得が促せる。

3.2 ジャンル準拠の指導によるオノマトペの学び

ここでは、まず、初級の学生を対象としたジャンル準拠のオノマトペ指導 (行木・岩﨑, 2019) を紹介し、さらに、ジャンル準拠の教科書 (Iwasaki & Kumagai, 2016) を使った上

級レベルの実践で、オノマトペの使用が顕著であったジャンル (ショートストーリー、読者を楽しませる) を読んだ上で、実際にストーリーを書く活動が、オノマトペの意識にどのような変化をもたらしたのかを、半構造化インタビューの回答に基づいて報告する。

3.3 ジャンル準拠の実践

3.3.1 ジャンル準拠の初級学習者を対象としたオノマトペの指導

行木・岩﨑 (2019) は、日本に滞在する学生が日常的に視聴することの多い広告 (CM) というジャンルでオノマトペが頻出することに着目して日本語におけるオノマトペの役割の理解を促す授業を計画し、筆頭著者が秋田県の国際教養大学で、初級の学生を対象に広告の翻訳活動の授業 (80 分) を行った。オノマトペが日本語の広告でどのような効果を持つ語彙であるのかの理解を高めることで、日本語オノマトペについての意識や学習動機を高めるのが目的であった。

任意で参加した 19 名のうち 15 名は英語が母語 (の 1 つ) で、そのほかの学生も英語を熟知していた。まず、ウォームアップでオノマトペを含む広告を見て、広告というジャンルの目的について考えながら、英語や母語では広告でオノマトペが使用されているかなどを話し合った後、「カサカサ」というオノマトペの使用を含むCMを視聴してオノマトペの効果のほか、広告で使われる語彙や文体などについて話し合った。その後、CMを英語に (加えて、任意で母語にも) 試訳し、英語や母語の翻訳でどのような語彙や表現を使うか、広告に相応しいのはどのような表現かなど話しあった。各オノマトペをどのように訳すかということより、CMの目的 (視聴者を引きつけて商品に関心を持たせる) を果たすために、日本語オノマトペの効果を英語や母語でどのように表現するのがいいかを考えるよう促した。授業後、「カサカサ」「しっとり」を含む別のCMを訳す宿題が課された。

授業中の話し合いの録音、学習日記、宿題のCMの翻訳についてのコメンタリーの分析でどのような気づきがあったかを調査するとともに、宿題のCM翻訳を第三者の学生[7] (11 名) に示して、その翻訳がCMに相応しいか、広告として効果的なテキストかなどを 7 段階で評価させた。その結果、ジャンル準拠の授業後、広告の翻訳をした学生は、日本語と英語の (広告における) オノマトペの役割の違いについて、オノマトペに代わって英語で用いられる表

---

7) 英語母語話者 7 名、中国語母語話者 3 名、韓国語母語話者 1 名であった。英語の広告が母語話者だけを対象に作成されるというより、リンガフランカとしての英語を使って国際的アピールをすると考えると、英語に熟達している国際教養大学の学生はすべて広告が意図するオーディエンスと考えられる。

現などについての気づきがあり、英語訳ではどのような工夫をしたかなどに言及していた。特に英語訳が第三者に高く評価された学生は、アメリカのCMをイメージして、日本語CMでオノマトペがもたらす効果を英語で醸し出すためにリズム感を持たせる表現などを用いて訳していた。

　行木・岩﨑 (2019) は、オノマトペが頻出し、視覚的な情報が理解を助けるCMというジャンルだけに絞って、初級の学習者にオノマトペの効果の理解を促す試みであった。Iwasaki & Kumagai (2016) は、中・上級の学生がさまざまなジャンルのテキストを読むことでジャンルごとに慣習化されたことばの使用 (構成、語彙、文体、方略) を理解し、自らそのジャンルのテキストを効果的に書く力も習得することをめざして、筆者が熊谷由理氏と作成した教科書である。以下、この教科書に基づく実践を報告する。

3.3.2　ジャンル準拠の Guided Independent Study

　対象となったのは、2018 年秋学期より南山大学の留学生別科に留学生していた米国人の学生 (男性、19 歳) のBさんで、Guided Independent Study (以下、GIS) の履修を希望していた。GISは学生が自分独自の勉学を行うための授業で、学生自身が目標を設定し、教員と相談しながらシラバスも作成する。Bさんは、よいスピーチとはどのようなものかを理解し、いいスピーチができるようになりたいとのことであった。筆者が Iwasaki & Kumagai (2016) で、スピーチ (聴衆に語りかけ、働きかける) というジャンルも扱っているため [8]、参考にしてはどうかと提案したところ、Iwasaki & Kumagai (2016) を使って 1 学期 (13 週) の授業を進めたいとの希望があった。

　そこで、Iwasaki & Kumagai (2016) の中で、スピーチ、スピーチにも関わる別のジャンル (News reports [出来事を報告する]、Survey reports [調査結果を報告する]、Personal opinions [個人の主張・悩みを伝える]、Fiction [読者を楽しませる]、Interviews [対談を再現する]、Personal Narratives [経験を物語って自分の思いを伝える]、Thoughts and Opinions [自分の経験から意見・考えを述べる]) を扱い、週 1 コマ (90 分) で、授業を進めた。日本語の談話の理解を促すために、Maynard (1998) の*Principles of Japanese Discourse: A Handbook*、さらに、Hudson, Matsumoto & Mori (Eds.) (2018) の*Pragmatics of Japanese: Perspectives on Grammar, Interaction and Culture* のうち 2 章 (Suzuki,

---

8) 「読解」の教科書として作成したものであるが、通常スピーチには原稿が必要で、影響力のあるスピーチ原稿は、ウェブや印刷物で読まれることも多いため、スピーチを 1 つのジャンルとして扱っている。

2018; Makino, 2018) も授業のための読み物とした。

　Iwasaki & Kumagai (2016) では、テキストを読んだ後の課題として、テキストの内容理解の確認だけではなく、書き手の目的や意図を考え、それが文体、表現、語彙の選択とどのように関係するかを考えるための問いも投げかけている。それらの問いについて授業で話し合い、各課の最後の「書いてみよう」というタスクを宿題とし、13 週間進めた。

　このうち、Fictionのショートストーリーと、Personal Narrativesは、オノマトペが頻出するジャンルだった。教科書にはショートストーリーを 2 本掲載しているが、授業で扱ったのはそのうち、江國香織の「メロン」[9] であった。文庫本 8 ページ (句読点含み約 3,140 字) で、計 24 語のオノマトペ (1 ページあたり平均 4 語、1,000 字あたり 7.6 語) が使われていた。教科書では、このジャンルのテキストの特徴としてオノマトペを取り上げ[10]、オノマトペを使う場合と使わない場合とではどのように印象が違うのかなどについて、「読んだ後で：考えてみよう (ことば)」というセクションで問いかけている (オノマトペ関係の問いについては付録Aを参照されたい)。GISの授業でも問いに基づき、話し合った。

　宿題として、自分の過去の経験を元にしてショートストーリーを書くことを提案した。言うまでもなく、この活動は、オノマトペを使うことを練習するための活動ではなく、読み手を楽しませるためのストーリーを書くことである。Bさんは、すでに読んだストーリーや、Maynard (1998, 76) を参照して、日本語のストーリー展開や構成について考察し、ストーリー展開 (encounter-then-separation) や文体も工夫した上で、オノマトペの効果的な使用も試みた。文体については、Maynard (1998, 133) を参考に、極めて短い文や体言止め (例えば、「一人ぼっち。」) を用いて主人公の感情を描くことにより、余情を引き起こして読み手の感情的反応を引き出そうとしたと言う。そして、大学内に設けられている日本語学習を支援するためにTAが待機するコーナーに行くなどして母語話者とも確認しながら推敲を重ねて書いたのが、子どもの頃の経験を脚色した「秘密基地」というストーリーである (本人の許可を得て、付録Bに掲載している[11])。読み手を楽しませることをどれだけ達成しているかは、読み手によっても判断が異なるだろうが、筆者は興味津々で読んだ。オノマトペに関しては、3,125 字のストーリーで計 24 語 (句読点を含む 1,000 あたり約 7.7 語) 使われており、「メロン」とほぼ同じ頻度である。

---

9) 日本ペンクラブ (編) の俵万智 (選)『くだものだもの』(福武文庫、1992 年出版) に掲載されている。
10) 他にも、主人公のナラティブの文体の特色なども扱った。
11) 本人の許可を得て、実名と共に掲載している。

　学期が終了した後で、今回のGISについて半構造インタビューを行った。最も印象に残った読み物は、日本語・英語の複言語能力を備えた人々に関する読み物 (翻訳家であり映画監督でもあるリンダ・ホーグランドへのインタビュー記事、ドナルド・キーンやリービ英雄のエッセイ)、さらに、リービ英雄の文章についてのMakino (2018) の論考だったということだが、書く課題で最も印象に残ったのは、ショートストーリーの「秘密基地」で、書くのがとても楽しかったのだと言う。さらに、以下のように答えた。

　　　ショートストーリーを読んだ時に、いっぱいオノマトペがあって、その時からまるで僕がオノマトペ研究者になっちゃったみたいな。(中略) いかに日本語に大切な表現の一種なのかわかりました。

　実際、「研究者」のようになり、学期半ばからのアルバイト先の結婚式場でもさらにオノマトペを学んだようだ。そのBさんのオノマトペの理解は、以下のやりとりでもうかがわれる。Iは筆者、Bは、Bさんである。

　　B ： 楽しいです。使ってみると人の個性も現れてくるし。(中略) そもそも飾り的存在
　　　　　なんだけど、(中略) 日本語の場合、オノマトペ、みんな副詞ですね、ゴボッと、さっ
　　　　　と、
　　I ： 全部じゃない、結構違うのがあるんだけど。
　　B ： サクサクな、あ、形容詞もあるんですね。
　　I ： それと動詞もいっぱいあるんですよ。
　　B ： そうですか、勉強しないといけないです。
　　I ： ただ、普通の動詞とはちょっと違うんですよ。例えば、
　　B ： あ！オロオロしたとか？
　　I ： そうそう、その通り。オロオロした人って言ったら、形容詞みたい。
　　B ： そうですね。(中略)
　　I ： サクサクした歯ごたえとか。
　　B ： りんごのように。
　　I ： そう、その通り。よくわかりますね。
　　B ： なんか感覚的になっています。

I ： いつからそんなふうに感覚的になっているんですか。

B ： どうですかねえ、吸収してしまいました。

I ： いつ吸収しちゃったんですか?

B ：「サクサク」と言えば、多分、あの、うちの結婚式場でね、「あの、この料理なん
て説明してあげればいいですか」っていうと、「なんかサクサクしているんだけど、
あ、だけど、それが贅沢な言葉じゃないから、なんか、しっかりした食感とか言っ
てあげて」とか。(中略)「とろっとしているんだけど、滑らかって言って」とか。

　このように、今やオノマトペに多大な関心を持つBさんはそれまでは、オノマトペを「無
視してきた」のだという。それについては、以下のように説明していた。

　あの、勝手に作る傾向があるって聞いたんだから、だったら学ぶには意味ないでしょっ
て思ったし、あの、なんか偏見的な、アカデミック、自分のイメージはですね、なん
かアカデミック、なんか学生だから、先にしっかりした日本語を学んだ方がいいよっ
ていうのが、僕の中にあったんだから、あの、オノマトペが地味すぎて使いたくなかっ
た感じでしたね。使うにはわかりにくくてめんどくさかった。

　GISでショートストーリーを読んで書くまでオノマトペは重要な語彙と考えず、避けてい
たのだという。英語ではオノマトペに相当することばがあまり使われないため、英語を母語
とするBさんにとって、オノマトペの使用は殊に馴染みのないものであったと考えられるが、
実際に特定のジャンル (この場合は、ショートストーリー) でいかに効果を発揮するのかを
理解したことで、オノマトペについての考えが大きく変わった。実際にショートストーリー
で使うには母語話者の意見を聞くことが不可欠だったというが、自分の使いたいオノマトペ
を探すためのやりとりも楽しかったと言う。

4. ジャンル別プロフィシェンシーへの提言

　オノマトペは、特定のジャンルでこそその描写力を発揮する。従って、一般的な日本語能
力や、アカデミックな日本語使用を念頭においていると考えられるOPI判定による日本語プ
ロフィシェンシーのレベルとは、必ずしも関係しない。説得力のある議論をしたり、明快な
学会発表をしたりするのにも、学術論文を書くのにもオノマトペは特に役立たないのである。

しかし聴衆を引きつけておもしろおかしく物語ったり、顧客を商品に引きつける広告を書いたりするには重要な役割を果たす。従って、スピーキングやライティングに限れば、物語るための日本語プロフィシェンシーやコピーライターのための日本語プロフィシェンシーには不可欠である。

　産出よりむしろ受容のためにオノマトペが重要になる場合も多い。マンガや小説を書くことをめざす日本語学習者は少ないであろうが、読んで楽しむために日本語を学習する人は多いのではないだろうか。マンガや小説を読んで楽しむためには、オノマトペの用法を理解するより、意味合いを感覚的に理解することが重要である。それぞれのジャンルでオノマトペのどのような側面を学ぶのが重要なのかも異なり、例えば、マンガでは、オノマトペを楽しむためには、語彙化された慣用的オノマトペの意味を正確に理解することより、濁音・清音の意味合いの違いなどを感覚的に楽しめることが重要であろう。

　ここでは、オノマトペの指導について、ジャンル準拠の日本語指導が役立つことを論じてきたが、ジャンルの有効性はオノマトペに限ったことではない。日本語教育において、多様な学習者に望ましい指導や評価を目指すのであれば、ジャンル別にプロフィシェンシーを考えるのが有効ではないだろうか。それぞれの学習者が日本語を使って何をしたいかによって、どのジャンルを重視すべきかが決まる。それぞれのジャンルで、どのような表現力が求められるのか、どのような語彙や文型 (の知識) をどのように使えば、そのジャンルのテキストの理解や産出能力が高まるのかを考える必要があろう。

謝辞

　本稿は、日本語プロフィシェンシー研究学会 2019 年度第 1 回研究例会の講演に基づいたものです。例会にご招待いただき、お話しできる機会を得ましたこと、参加者の方々から貴重なコメントをいただきましたこと、心から感謝しております。また、本稿の初稿に貴重なコメントをくださったロンドン大学 (SOAS) の元同僚の柏木美和子氏に感謝の意を表します。

参考文献

秋元美晴 (2007).「日本語教育におけるオノマトペの位置づけ」『日本語学』26, 24-34.

阿刀田稔子・星野和子 (1995).『擬音語擬態語使い方辞典—正しい用法と意味がすぐわかる』創拓社.

有賀千佳子 (2007).「オノマトペを通して、語彙の学習・教育について考える」『日本語学』26, 65-73.

岩﨑典子 (2018).「外国人は日本語のオノマトペを使えるの？」窪薗晴夫 (編),『オノマトペの謎—ピカチュウか

らモフモフまで』87-100. 岩波書店.

荻原稚佳子・齊藤眞理子・増田眞佐子・米田由喜代・伊藤とく美 (2001).「上・超級日本語学習者における発話分析—発話内容領域との関わりから—」『世界の日本語教育』11, 83-102.

小野正弘 (編) (2007).『擬音語・擬態語4500 日本語オノマトペ辞典』小学館.

行木瑛子・岩﨑典子 (2019).「ジャンル準拠の初級オノマトペ指導—広告 (CM) の翻訳活動を通して—」『日本語教育』174, 71-85.

鎌田修 (2006).「KYコーパスと日本語教育研究」『日本語教育』130, 42-51.

金田一春彦 (1978).『擬音語・擬態語辞典』角川書店.

国立国語研究所 (2004-2007).『日本語を楽しもう！擬音語って？擬態語って？』<https://www2.ninjal.ac.jp/Onomatope/index.html> (2019年7月30日閲覧)

桜井恵子 (2003).「擬音語・擬態語の習得に関する研究—OPIのレベル判定との対応を中心に」『日本學報』54, 139-150.

獅々見真由香 (2016).「日本語の会話におけるオノマトペの基本語彙選定—『BTSによる多言語話し言葉コーパス』と『BTSJによる日本語話し言葉コーパス』を用いて—」『日本語教育』165, 73-88.

スコウラップ ローレンス (1993).「日本語の書きことば・話しことばにおけるオノマトペの分布について」筧壽雄・田守育啓 (編),『オノマトピア—擬音・擬態語の楽園』77-100. 勁草書房.

玉岡賀津雄・木山幸子・宮岡弥生 (2011).「新聞と小説のコーパスにおけるオノマトペと動詞の共起パターン」『言語研究』139, 57-84.

玉村文郎 (1989).「日本語の音象徴語の特徴とその教育」『日本語教育』68, 1-12.

田守育啓 (2005).『オノマトペ 擬音・擬態語をたのしむ』岩波書店.

富川和代 (1997).『らくらく覚えてどんどん使おう 絵で学ぶ擬音語・擬態語カード』スリーエーネットワーク.

中石ゆうこ・佐治伸郎・今井むつみ・酒井弘 (2011).「中国語を母語とする学習者は日本語のオノマトペをどの程度使用できるのか—アニメーションを用いた産出実験を中心として—」『中国語話者のための日本語教育研究』2, 42-58.

夏目房之介 (2013).「マンガにおけるオノマトペ」篠原和子・宇野良子 (編),『オノマトペ研究の射程 近づく音と意味』217-241. ひつじ書房.

B・M・FTことばラボ(編)(2016).『ふわとろ—SIZZLE WORD「おいしい」言葉の使い方』B・M・FT出版部.

日向茂男 (1986).「マンガの擬音語・擬態語 (1)」『日本語学』5, 57-67.

日向茂男・日比谷潤子 (1989).『擬音語・擬態語 (外国人のための日本語 例文・問題シリーズ)』荒竹出版.

彭飛 (2007).「ノンネイティブから見た日本語のオノマトペの特徴」『日本語学』26, 48-56.

三上京子 (2007).「日本語教材とオノマトペ」『日本語学』26, 36-46.

山口仲美 (編)(2003).『暮らしのことば　擬音語・擬態語辞典』講談社.

ACTFL (2012). ACTFL Oral Proficiency Guidelines 2012. <https://www.actfl.org/publications/guidelines-and-manuals/actfl-proficiency-guidelines-2012/japanese> (2019年6月20日閲覧)

Butt, D., Fahey, R., Feez, S., Spinks, S., & Yallop, C. (2000). *Using Functional Grammar: An Explorer's Guide* (2nd ed.). Sydney: NCELTR.

Hyland, K. (2003). Genre-based pedagogies: A social response to process. *Journal of Second Language Writing, 12*, 17-29.

Hyland, K. (2004). *Genre and Second Language Writing*. Ann Arbor, MI: University of Michigan Press.

Iwasaki, N. (2017a). Grammar of Japanese mimetics used by English and Korean learners of L2 Japanese in KY Corpus Interviews: Does L1-L2 similarity help? In N. Iwasaki, P. Sells, & K. Akita (eds.), *The Grammar of Japanese Mimetics: Perspectives from Structure, Acquisition, and Translation*. 148-171. London: Routledge.

Iwasaki, N. (2017b). Use of mimetics in Motion event descriptions by English and Korean learners of L2 Japanese: Does language typology make a difference? In N. Iwasaki, P. Sells, & K. Akita (eds.), *The Grammar of Japanese Mimetics: Perspectives from Structure, Acquisition, and Translation*. 193-218. London: Routledge.

Iwasaki, N. & Kumagai, Y. (2016). *The Routledge Intermediate-Advanced Japanese Reader: A Genre-based Approach to Reading as a Social Practice* (ジャンル別日本語：日本をクリティカルに読む). London/New York: Routledge.

Iwasaki, N., & Yoshioka, K. (2019). Iconicity in L2 Japanese speakers' multi-modal language use: Mimetics and co-speech gesture in relation to L1 and Japanese proficiency. In K. Akita & P. Pardeshi (eds.), *Ideophones, Mimetics and Expressives*. Amsterdam/Philadelphia, John Benjamins Publishing Company.

Kakehi, H., Tamori, I., & Schourup, L. (1996). *Dictionary of Iconic Expressions in Japanese*. Berlin/New York: Mouton de Gruyter.

Kita, S. (1997). Two dimensional semantic analysis of mimetics. *Linguistics, 35* (2) , 379-415.

Makino, S. (2018). How does a non-native Japanese literary writer dissimulate and diversify the Japanese language? A case study of Hideo Levy. In M. Endo Hudson, Y. Matsumoto & J. Mori (Eds.), *Pragmatics of Japanese: Perspectives on Grammar, Interaction and Culture*. 289-308. Amsterdam:

John Benjamins Publishing.

Makino, S., & Tsutsui, M. (1986). *A Dictionary of Basic Japanese Grammar*. The Japan Times.

Martin, J.R. (1989). *Factual Writing: Exploring and Challenging Social Reality*. Oxford: Oxford University Press.

Maynard, S. (1998). *Principles of Japanese Discourse: A Handbook*. Cambridge: Cambridge University Press.

Strauss, S. G., Chang, H., & Matsumoto, Y. (2018). Genre and the cultural realms of taste in Japanese, Korean, and U.S. online recipes. In M. Endo Hudson, Y. Matsumoto & J. Mori (Eds.), *Pragmatics of Japanese: Perspectives on Grammar, Interaction and Culture*. 219-243. Amsterdam: John Benjamins Publishing.

Suzuki, S. (2018). Linguistic nationalism and fictional deception: Metapragmatic stereotype of non-Japanese in Japan. In M. Endo Hudson, Y. Matsumoto & J. Mori (Eds.), *Pragmatics of Japanese: Perspectives on Grammar, Interaction and Culture*. 267-287. Amsterdam: John Benjamins Publishing.

付録 A

(Iwasaki & Kumagai 2016, 92-93)

2. オノマトペ (→Essential Notes 6)

a. 次の表現でオノマトペがある場合とない場合で、どんな印象の違いを受けますか。

i. (段落3)　みほはあっさりとうなずいた。　　　　→　みほはうなずいた。

ii. (段落8)　サッカー部員がどやどやと駆けていった。　→　サッカー部員が駆けていった。

ii. (段落9)　スカートを両手でぱんぱんたたいた。　　→　スカートを両手でたたいた。

iv. (段落23)　ぼたっと涙がおちた。　　　　　　　　→　涙がおちた。

v. (段落26)　きゅっとしばった。　　　　　　　　　→　しばった。

vi. (段落28)　それをすっとカバンにしまうだろう。　　→　それをカバンにしまうだろう。

vii. (段落33)　さぁっと冷気がひろがる。　　　　　　→　冷気がひろがる。

b. 次のオノマトペは、どんな様子を表していると思いますか。その様子を表すのに他にどんな言い方がある
　　でしょう。

i. (段落9)　ドキッとしてしまった。

ii. (段落15)　ぼーっとしている。

iii. (段落30)　ぼーっとテレビを見ている。

iv. (段落29)　みほが、さばさばと言った。

v. (段落16)　お父さんはむっつりしている。

vi. (段落37)　メロンをせっせとすくう。

c. (段落16)「ふふふと笑う」と (段落34 and 35)「くくくっと笑う」では、気持ちや様子にどんな違いが読み取
　　れますか。

5. (段落12) <そのころすでに自信たっぷりに、俺、留年だわ>と言ったのは誰ですか。この発言や言葉づかい
　　でどんな人だと思いますか。(→表現文型3)

付録 B

「秘密基地」

米利 久令作　© Clay Bailey 2019

　僕は十歳の時、父親と二人で団地に住んでいた。団地と言っても、最近開発された郊外に建設された、二、三階のアパートのビルの間に芝生も広がっている住宅地だ。森と沼に面した団地の余分なスペースには、狭いアパートの居住者に喜んでもらおうと、バスケットボールやテニスのコート、プール、ちょろちょろっと水をあげる噴水といった共用施設が設置されていた。森の松に囲まれた中、それらは暇潰しによく使えたのだ。

　僕の小学校は都心にあったので、同級生の友達がいても、放課後、長い通学を経て家に着くと、団地では一緒に遊んでくれる子はいないのだった。一人ぼっち。それでもひきこもらずに外で遊ぶことがあったが、しーんとした道しか迎えてくれなかったのだ。

　冬休みは父が仕事でいない間に、そのようなゆったりしたバスケットボールコートで一人でポンとボールを上に投げるものだった。ある日、一人の男の子がコートに姿を見せた。その子は初めに反対側のゴールに投げていたが、いつの間にかこっちのほうにぎこちなくやってきた。

　最初は自然な振る舞いもできず、喋りもしなかった。だが、しばらくたったら、僕は仲良くなれそうだなと思ったから、声をかけてみた。

　「何と呼べばいい？」

　と僕は聞いた。彼は

　「俺、二反田だよ」

　と答えるかと思うと、

　「お前、何歳？」

　と僕の年齢を尋ねた。

　「十歳だよ」

　と僕は誇らしげに言った。僕の身長は十歳の割には高かったから、びっくりしたような反応を期待していたのだ。もっと年上だろう、というのを聞きたかったのだ。

　「そうなんだ。俺、十一歳だよ」

　と二反田は何気なく上の年を言った。だけど、彼のもじゃもじゃとした髪の毛の下に、丸みが残っていた頬は桃のようで、背の高さの差で僕がそのぽっちゃりした体格を見下ろしていた。僕より年上なんて思えない。僕は違うだろ、威張っているだけだろ、と思ったが、せっかくの友達とそんな争いをするわけにはいかなかった。

　それがきっかけで、僕と二反田は一緒に遊ぶようになった。どんな遊びをしたかというと、二反田は落ち葉

や紙を燃やすことが好きだった。正直、僕もめらめらと燃え盛る炎にふけってしまうのだ。二反田が僕の中にいるいたずらっ子を導き出したと言ってもいいだろう。

　二人の不良は人目につかないように、プールの隣で四角に切れた茂みの裏側で邪魔な枝を切って整え、灰皿の役を担う穴を掘って、そこに土臭い秘密基地を置いた。そこで僕らの小規模な焚き火をこっそりすることができた。二反田はライターの燃料がなくなった時、知らない人のアパートの前からライターを盗むことがあった。僕はそれを見て、罪悪感も二反田への不信感も抱いた。

　時がたつと、やがてじわじわと燃え出す落ち葉の焦臭い匂いに飽き始めた。違うことをしたいことを二反田に伝えると、

　「確かにつまらなくなったよな。だけどさ、実はね、僕の親父が森に立派な秘密基地を作ってくれたんだよ。木で出来てて、木の上に乗っていて、はしごもあって…行こうぜ」

　と、何とも大げさな話を言い出した。ただ、僕の冒険心をかきたてた話でもあった。二反田と出会う前に退屈で孤独だった僕は、森の中で楽しみが待っていることを信じたかったのだ。

　二反田は僕の承諾を得て、僕の知らぬ団地の裏側を通り、荒れ地との区切りの鉄柵の穴が開いている所まで案内してくれた。

　「よし、くぐってみよう。」

　柵にひっかかりながら、森の方へ進んだ。二反田は、

　「こっちだよ」

　と言った。しかし、歩き出したら長くは続かず、枝や茨、水溜まりや泥、倒木の幹といった障害物に遭遇したのだ。たどれる道のようなものは全くなく、僕は何を越えていけばいいのかを知らずに二反田を追いかけた。沼にかかった幹をバランスに気を付けながら渡ろうとしたときに、僕が倒れてしまった。足がごぼっと泥に吸い込まれ、二反田に力を借りなければ出られなかったのだ。誰にも言わず森に入り込んでしまったことの危険を実感して、焦り始めた。

　僕は頭の中で、木の上に築かれた、白木の板で出来ている秘密基地を見たことは確かではあるが、実際に目でも見たかは当時のパニックで定かではない。

　覚えている限りでは、僕と二反田は二人とも早く帰りたくなったのだ。父が帰る前に帰らないと心配させるし、日が沈み、暗闇の森で取り残されることも恐ろしかったからだ。だが、二反田が適当に「こっちだよ」と言っていたのは明らかだった。道に迷って、帰るに帰れなかったのだ。

　そんなゴタゴタを起こした僕らはマジで怖くなった。帰り道のような気がする方向に行ってみたが、見覚えのあるものが何もなく、絶望感を込めて、

　「助けて！誰か助けてよ！」

と叫びだした。答えたのは木霊だけ。僕と二反田は、それぞれ障害物で通りづらい森を自分が帰り道だと信じた方向へ進んだ。しかし、僕は二反田の救いを求める声が遠ざかったことに気が付いて、互いに見失う前に合流しよう、という声を二反田がいる森の彼方まで届けようとした。ところが、二反田は幻のように消えたのだ。

また一人ぼっち。

一人で必死に森の出口を探し続けた。わんわんと泣きながら、泥に突っ込んだり、幹につまずいたり、茨に刺されたり、ぶら下がっている枝に頭をぶつけたりして、次々と困難が襲いかかってきた。ここで死ぬかと思ったのだ。

そして、丁度その時、砂漠の中でオアシスを見つけたかのように、松の長くなった影の中、ピカッと輝いた鉄柵があった。確かに団地の鉄柵だったが、森に入った最初の時と違う位置。登らざるを得ず、指をさびた柵の隙間に入れて思い切り握りながら、乗り越え、どたんと団地側に身を落とした。「痛っ。」足を地面にすりながら、家へと向かった。

家の近くに行き着くと、予想通り父親の車が平行の真っ白なペンキの線にぴったり嵌っていた。家のドアを開けると、父がいつも通りテレビの前にぼーっとしていた。僕は弱々しい声で、

「ただいま...」

と僕の帰ったことを知らせた。父は一人掛けのリクライニング・ソファの後ろから頭を上に出して振り返った。僕の格好を一目見て、

「入るな」

と言った。これは、僕のシャツには茨が何本も突き刺さっていて、ズボンは泥まみれで、僕が全身ぼろぼろな格好になっていたからだ。

「そんなに汚いままじゃ入っていいわけないだろっ」

目を見張った父はソファから立ち上がって、いったいどうしたのか、と問い掛けてきた。僕は鼻水をぐすぐすすすりながら、森のことを語った。バカみたい、ごめんなさい、と謝ったが、父は怒らず、

「ついて来い」

ときっぱり言った。僕の手を取って、駐車場と芝生を渡って、プールまで連れて行った。冷静な薄い水色の水面の前に立って、

「家のシャワーに入ったら管は土で詰まっちゃうから、ここで体を洗いな」

と言った。僕が

「だって、寒いし、共用だから...」

と異議を唱えても、

「いいから、飛び込め！」

と、手を僕の背中におき、プールの縁へ押した。

　僕はぱしゃんと水に潜らされた。体についていた黒い泥は、半紙に滲む薄い墨のように、透明な塩素水にばぁっと広がった。土の塵はその中でしばらく浮かんでから、黒い雪のようにプールの底に積もった。それを掃除した人は誰だったかな。

　体をプールからもたげた僕はぶるぶる震えていたが、確かにさっぱりしていた。父に二反田の安否も聞かれたが、森で離れてから消息が分からなくなったのだ。その後は迷子の話が出なかったから、二反田が行方不明などにならず、無事に帰れたのだと思う。

　父に秘密基地への道も問われた。しかし、その日の冒険はあくまで二反田の計画なので、僕らがくぐった鉄柵の穴さえ見つけられなかった。今でも、二反田と森と秘密基地のことはすべて夢幻のようだ。

アメリカの日本語学習者の面白い話の分析

―話の構造と評価という観点から見る学習者のナラティブの課題と変化―

小玉安恵 (カリフォルニア州立大学サンノゼ校)

要旨

　失敗談などの面白い経験談は日本社会において連帯感や親密度を高める社会的潤滑油としてだけでなく、自己のアイデンティティの主張や自己発見といった異文化間コミュニケーションの原点にもなるとされている (大島 2006)。定延 (2018) の行ったアンケート調査によれば、日本語で面白い話ができるようになりたいという願いは、民族や国を超えた学習者の共通の願いでもあるようだ。ナラティブと評価の重層的な関係を強調する Cortazzi and Jin (2000) は、ある特定のナラティブが効果的であるかどうかは、従来言われてきたようなナラティブ内で語り手がどのように評価を用いたかだけでなく、その話の意義、つまり評価が話の聞き手やその話の語られる文化的、状況的文脈との関係でどのように交渉されたか、さらにはその話を通して話し手がどのように評価されたかと関わりがあるという。そこで本稿では、上級レベルの日本語のクラスの初めと終わりに語られたアメリカの日本語学習者の失敗談を、Labov (1972, 1997) と Longacre (1981) のナラティブ構造と評価の枠組みに加え、その聞き手による語りの最中の反応及び事後評価にも注意を払いながら分析することにより、語りに関して学習者に見られた初期の問題点とその問題が意識化された後の学習者の語りの変化を明らかにする。

キーワード：話の構造、評価装置、意外性、臨場性、ナラティブ能力

Analysis of Funny Stories

of Japanese Language Learners in the US

:The Problems and Changes of their Narratives seen from the Perspectives of the Story Structure and Evaluation.

Yasue Kodama (San José State University)

Abstract

Funny embarrassing stories are regarded not only as a social lubricant to heighten people's solidarity and intimacy in Japanese society, but also as a starting point of our intercultural communication that requires expression of one's identity and self-discovery (Oshima 2006). According to Sadanobu's research based on his questionnaire (2018), Japanese language learners have a desire to be able to recount their funny stories effectively in Japanese regardless of their nationality and ethnicity. Cortazzi and Jin (2000:103-4) emphasize multifaceted aspects of evaluation as for the effectiveness of storytelling saying that not only how evaluation is used in a narrative, but also how the evaluation is negotiated with the recipients and the cultural and situational contexts as well as how narrator was evaluated through the narrative (s). The present study analyzed Japanese language learners' oral narratives presented at the beginning and the end of advanced-level Japanese course in the US, from the perspective of narrative structure and evaluation by Labov (1972, 1997) and Longacre (1981), paying attention to the reactions and evaluations from the recipients, to clarify the initial problems and improvements of their narratives as a result of the awareness of their problems.

Keywords: story structure, evaluation devices, unexpectedness, vividness, narrative competence

1. はじめに

　筆者の勤めるカリフォルニア州立大学サンノゼ校 (以後、SJSU) では、日本は学生達の間で最も人気でかつ実際に選ばれている留学先である。そして職務上、筆者は日本に留学する学生たちと会うことになっているのだが、学生達は皆、日本人の友人を作りたいという。大島 (2006, 45-46) は、「笑いには連帯感や親密度を高める」という効果があり、その効果においては「体験談や失敗談が最も適して」おり、「誰に話してもわかりやすい、自分という人間の特徴が表れている『自分エピソード』を常に語れるように用意しておくといい」(同上, 56) という。また、山口 (2018, 41) は、体験談は恐らく最も基本的で、どの国や民族にも普遍的な語りの形態だろうと述べている。それを裏付けるかのように、定延 (2018) の行ったヨーロッパの国々で行われた日本語学習者へのアンケートでは、実にその9割以上が日本語で面白い話ができるようになりたいと回答している。

　筆者は2000年ごろから、日本国内の日本語教師研修機関や北米の大学の日本語教育機関において、日本語上級者向けの体験談の授業を、日本人との距離を縮め、かつ学習者が学習した文法や表現を総合的に応用できる活動として、20年近く改良を重ねながら行ってきた。また、それと同時に日本語学習者にとってモデルとなるような、日本人母語話者の効果的な語りの研究も行ってきた。本稿ではその研究成果も取り入れつつ行っている体験談の授業と、最近の授業に参加した学習者の指導前、指導後の体験談の変化を分析し、報告する。

1.1　本研究における面白い語りとは

　面白い体験談を面白く語るということは、実は日本人母語話者にとってもそう容易いことではない。鎌田 (2018, 450-451) によると、面白い話にはOPI上級レベルに要求される詳述だけでなく、意外性や民族に特有の笑いという文化性も関わってくるため、超級レベルの運用能力が必要だとされている。しかし、その一方で、笑いは言語的側面だけではなく、非言語的側面や文化的側面に突出した要素によっても引き起こされ得ること、事前に暗記し練習して披露すれば初心者レベルの学習者でも達成可能なことから、「今、ここで、どれほどできるか」を問うプロフィッシェンシーの概念ではレベルを判定しにくい側面も持ち合わせているという (同上, 451-454)。

　そこで、本稿の大きな評価の枠組みには Cortazzi&Jin (2000) の評価の枠組みを用いる。その理由は、Cortazzi & Jin (2000) によると、ある特定の語りが効果的であるかどうかは、従来言われてきたような話の中で語り手がどのように評価を用いるかだけでなく

(evaluation in narrative)、話の意義、つまり評価が話の聞き手やその話の語られる文化的、状況的文脈との間でどのように交渉されたか (evaluation of narrative) や、さらにはその話を通して話し手がどのように評価されるか (evaluation through narrative) と関わりがあるとされており、この体験談の活動はそのすべてと関わるからである。Cortazzi & Jin (同上, 114-115) は、最も古典的な評価の概念としてLabov (1972, 1997) に代表されるような語り手が話す内容に施す言語あるいは非言語的な評価装置による評価を挙げているが、日本語ではこのレベルの評価装置すらまだ十分に解明されているとは言えない。このレベルの評価は、語り手がどう自分の話を理解して欲しいのか、または話のポイントはどこなのかを伝える手段であることから、「語り手からの評価」と呼ばれている。それに対して、2つ目の評価が注目しているのは評価の交渉的な側面や社会文化的側面である。それは、例えば、ある同じ出来事や話に対する評価が語り手や聞き手、語られる状況や社会、文化によって異なったり、Labov により評価的とされるある特定の語り方 (例えば、繰り返しや詳細の使用など) が、文化によってはさして評価的ではなく、重要ではない出来事にも使用されたりすることを指している。そして、3つ目の、ナラティブを通しての評価は、その語り手がその話を通してどう評価されるのかを問うレベルである。これは例えば、我々教育者が学生の言語能力や知識の程度をナラティブを通して測ることや、心理セラピーなどでナラティブを通して患者を評価することなどを考えるとわかりやすい。

　本稿では、上記の3つのレベルにおける効果的で面白い語りを以下のように定め、分析する。まず、語り手からの評価という観点では、まず語り手がどのような話の構成を選択し、かつその話のポイントを評価装置を用いてどのように演出したかを見る。これには Labov (1972, 1997) と Longacre (1981) のナラティブの構造と評価の枠組みに、日本語特有の評価装置を加えた小玉 (2020) を使用する。次に、聞き手や社会文化的文脈との話の評価の交渉というレベルでは、語りの中での語り手と聞き手のインターアクションやそれぞれの事後評価、ナラティブモデル分析を通して、語り手と聞き手との間でどのような交渉がなされたか、そして学習者の中にどのような気づきや学びが起こったのかを見ていく。最後に、体験談を通してなされる学習者のナラティブ能力の評価に関しては、前者2つの観点から、学習者の語りが指導前と後でどう変化したのか、そしてその結果、最終的に語り手が話の面白いポイントだと思う箇所を聞き手に笑ってもらえたのかを見る。

1.2　本稿の構成

　まず、以下の第2章第1節では先行研究においてどのような話が面白く効果的とされる
のか (evaluation in and of narrative)、また、体験談の語りに関してどのような実践授業が
行われ、それがどのような効果を生んできたのか (evaluation through narrative)、その先
行研究及び先行実践授業による成果と課題をまとめる。さらに、第2節では、その課題を
考慮して組み立てた本授業の授業内容と評価システムについて説明する。そして、第3章
では、学習者の初回の語りの話の構造と評価の特徴と聞き手とのやり取りを、第4章では、
再話の特徴と聞き手とのやり取りを分析し (evaluation in and of narrative)、クラスの初め
と終わりでそれらがどのように変化したかをみる (evaluation through narrative)。

2.　面白い話の先行研究と授業の枠組み

　この節では、面白い話の授業を組み立てる際に参考にした体験談や体験談の授業に関する
先行研究にどのような成果と課題があるのかをまとめ (2.1)、その結果として、どのような
授業を組み立てたのかを説明する (2.2)。

2.1　先行研究の成果と課題

　面白い話の核となるものが、聞き手にとっての「意外性」や「普通からの逸脱」であるこ
とは、Labov (1997) をはじめ、日米を問わず数多くの文献で指摘されている (Chafe, 1994;
鎌田,2018; 羅,2018)。小玉 (2020) では、日本の芸能人の面白い話の評価装置の使用を質的
に分析した結果、話の面白さの核となる意外性は、単に社会文化的な価値観とのギャップに
依存するだけではなく、語り手が Labov (1972) や Longacre (1981) に挙げられているよう
な評価装置を総合的に駆使して、話の中の登場人物とその行動、事物や出来事間のイメージ
に明確な落差を意図的にナラティブ内に作り出すことにより生まれていると指摘している。
　その道具となる Labov (1972) の評価という要素は、実際に物事が動いていく展開部
(Complicating action section) において、ナラティブの骨格を成し、時間的に重複せず順
番が変わると事実までもが変わるとされるナラティブ節 (例、朝起きて、ご飯を食べて、学
校に出かけた。) に次いで重要な要素とされている。そして、語る出来事を話す価値のあ
るものとして提示する社会的プレッシャーにさらされている語り手にとって、評価とはそ
の話が本当に語る価値のある意外なものであることを示す手段である (同上, 371)。Labov
(1972, 371-373) の評価には、まず外在的評価 (external evaluation) と内在的評価 (internal

evaluation) という 2 つの種類の評価がある。前者がナラティブ節による話の進行を一旦止め、聞き手の方を向き、語り手が話のポイントを明確に示す評価 (例、もう滅茶苦茶なんですよ／もう滅茶苦茶だなと思いました。) であるのに対し、後者の内在的評価は、話の前進を止めることなく物語の中の登場人物として出来事に対する気持ちや考えを述べたり (例、だから「うそでしょう？」って言ったの。Embedding of evaluation, 372)、ナラティブ節内であまり使用頻度の高くない否定や歴史的現在形 (以後、HP) などの有標の文法的評価装置を用いて暗にその出来事の重要性や評価を示すものである (例、そしたら、彼「別れよう」って言うんです。Departure from basic syntax, 378)。評価にはその他にも、心理を反映した行動を詳細に語るもの (例、階段を降りたものの、あきらめきれず、また上がったけど、また降りて。Evaluative actions, 373) や、ナラティブ節により物事が前進していく展開部において、同じ情報を繰り返したり、外在的評価節や登場人物、時、場所、状況などを説明するオリエンテーション節を挿入することによってナラティブの前進を一時的に停止し、聞き手にその情報やその近隣の情報に注目させるものがある (Evaluation by suspension of the action, 373-374)。

　従来の日本語の体験談研究では、これらの評価装置の中でも、特に使用文法の有標性を利用した評価である内在的評価装置に研究の焦点が置かれてきた。それらにはYamada (2003) の否定、加藤 (2003) のタラ、ソシタラ、小玉 (2011) のHP、小玉 (2019) の引用辞などのように、ナラティブ内でのそれらの内在的評価装置としての機能を個々に取り上げた量的かつ質的な研究と、酒井 (2004) のように日本人の平均的な体験談の長さや情意的な内在的評価装置の使用頻度を提示する量的研究がある。内在的評価装置は、出来合いの評価とも言える外在的評価 (ready-made evaluation) に比べ、聞き手に話の解釈への積極的参加を促す評価装置として高く評価されており (Tannen, 1994)、また、これなしには語りは非常に単調で、メリハリのないものになってしまうため、内在的評価装置にまず焦点が当たったのはある意味当然だったと言える。しかし、現在では、内在的評価装置の場合、その使用が局地的に有標で、かつ他の種類の内在的評価装置と共に集中的に用いられることによって初めて、その出来事を強調する評価機能を果たすことがわかってきている (Hunston, 2011; 小玉, 2020)。さらにLabov (1972) らが挙げたような様々なタイプの評価が、1 つの話の中で組み合わされて使われることによって、評価という仕事が総合的に達成されることも明らかになっている (小玉, 2020)。

　また、分析の対象とされているデータも大まかにいうと芸能人の面白い話 (小玉, 2011,

2019, 2020; 瀬沼, 2018) と一般人の面白い話の研究があるが、日本語のクラスで使用すると
なると、それぞれに弱点がある。例えば、芸能人、特にお笑い芸人に特化したものの場合、
一般人が日常生活で繰り広げる面白い話とかけ離れたものになりやすく、学習者にその語り
のテクニックを習得させるのはハードルが高すぎる。一方、一般人の面白い話の場合、定延
(2018, 25) の言うように、多くの一般人の日本語母語話者の話は、「モジモジとして心地悪く、
恥ずかしげで」、「はっきりと話し終わらず」、「オチの語りがまずくて聞き手たちに受けず」、
「このモジモジを学習者が学ぶ必要があるのか」と思われるのである。

　また、体験談に特化した授業の実践報告としては、日本語中上級者のための体験談のクラ
スの実践報告 (酒井, 1997) がある。このクラスでは、最初に学習者に自分達の意識にのぼっ
ている日本語能力の問題点の振り返りが行われた後、一般の日本人母語話者の「命の危険を
感じた出来事」についての体験談を提示し、学習者に一度その語りを分析させている。そし
て、語りの鍵となる文法項目を学習者に意識させ、その文法項目のインプットと練習を個々
に積み上げたのちに、一度目の語りを行い、文字起こしして自己分析、そして再話 (テスト)
という流れになっている。しかし、特に若者の場合「命の危険を感じた出来事」を経験した
ことのない人もいる可能性があるのと、それを語ることによって、連帯感や親密度が増すの
かという点で、疑問が残る。

2.2　授業構成と学習者のナラティブ能力の評価の仕組み

　そこで、本稿の体験談のクラスでは、まず体験談のトピックとして、より日常的で日常生
活においてもつい他の人に語りたくなるような「笑える失敗談」を考えてきてもらうことに
した。日本は謙譲さの重んじられる文化であるからか、自分の欠点を見せた方が、友達が出
来やすく、その点において笑える失敗談は人間関係の構築に非常に有効だと思われる。また、
課題として出す際には、どのような失敗談なのかイメージを作ってもらうために、教師の方
から、初めてのスキーでの失敗談を披露した。しかし、この段階では語り方のこつについて
は何もインプットはせず、まずは学習者に面白い話を披露してもらってそれを録音し、文字
起こししてもらった。それはその方が、クラス開始時点での自分の語りの能力や問題点をよ
り客観的に、かつ具体的に認識してもらえることと、それにより自分の語りの変化が見えやす
く、学習動機や達成感が生まれやすいであろうと考えたからである。そして、学習者は自
分の語りに対して、聞き手であるその他の学習者と教師から、その場での反応や事後評価表
という形でフィードバックをもらう。学習者の録音された語りは学習管理システムにアップ

ロードして、何度でも視聴可能な状態にした。教師とクラスメートが、フィードバックとして事後評価表に書くことを求められているのは以下の項目である。

　　―その話のタイトルと要旨 (話全体が聞き手にちゃんと理解されているか否かを見るため)
　　―話の面白いと思ったところ (語り手の意図とずれていないかをチェックするため)
　　―五段階評価項目 (声の大きさ、アイコンタクト、スピード、わかりやすさ、話の面白さ、
　　　聞き手への配慮[1])
　　―その他のコメント

教師からのこの段階でのコメントは、他の学習者が指摘していない語彙や文法の誤りについては指摘するが、話の評価装置の使い方については一切コメントしない。そして、次に面白い話のモデルとなる、様々なタイプの評価装置が用いられている 4 つの面白い話を、授業一回につき一話ずつ、じっくりと分析してもらっている。これは、学習者自身が自ら分析して、気づいたほうが、より学びが深化すると共に、その使用の動機付けになるだろうとの考えからである。本稿の授業では、その場でトピックの書かれたサイコロを振って話のトピックが決まるトーク番組「ごきげんよう」で語られた面白い話の中から、相対的に短めで、日本語学習者にも到達可能だと思われる、女優や俳優の面白い体験談を話のモデルとして提示している。その分析の際の誘導は Labov (1972, 1997)、Longacre (1981) のナラティブ構造と評価装置ならびに小玉 (2020) の日本語特有の内在的評価装置[2]を念頭に置きながら、以下のように行っている。

　　―この話の事の発端 (Inciting incident)、一番盛り上がっているクライマックス (climax)、
　　　事の重要な結末 (Denouement) はどこか (Longacre, 1981)。
　　―この話の概要部、オリエンテーション部 (登場人物、時、場所、初期状況の説明)、展開

---

1) 聞き手への配慮とは、聞き手の持っている知識への配慮や聞き手を巻き込んだ語り方をすることと評価表に付記してある。

2) 小玉 (2020) では、事態内視点や内的焦点化による語りを好む日本語の場合、従来 Labov(1972) が内在的評価装置のカテゴリーとして挙げている、強意詞 (Intensifiers)、比較詞 (Comparatives)、相関詞 (Correlatives) や解説詞 (Explicatives) の他に、HP、直接引用、引用辞ッテ、コ系直示詞、オノマトペなどの臨場性を演出する内在的評価装置のカテゴリー、臨場詞 (Vivifiers) を加えた他、比較詞に英語に相当するもののない終助詞ヨ、ノ (ダ) やテシマウなどのモダリティー表現を加えている。内的焦点化については野村 (2016) を参照のこと。

部 (実際に出来事や物事が前に進んでいくところ)、結末部 (クライマックス後の出来事)、評価部 (語り手の出来事への感想やコメントを述べているところ)、終結部 (後日談など、語っている今との架け橋になっている部分) はどこか (Labov, 1972, 1997)。展開部以外はない場合もある。

―予想外のことや、自分がコントロールできないことにはどんな文法が使われているか。

―臨場感があるところはどこか。そこには何が使われているか。

―残念な出来事や嬉しい出来事にはそれぞれ何が使われているか。

―話が一番盛り上がっているところには何が使われているか。

―この話のどこが面白いか。そしてどうして面白いのか。

そしてクラスで分析したことを振り返り、最後には評価装置のまとめの一覧表を作っている。それらを元に初期の自分の面白い話を分析して提出し、教師からコメントをもらい、再話の構想を練る。それから、クラスメートの前で再度話した後、その録音したものを、文字起こしし、自分の話の構造と評価装置の使い方を自己評価して提出し、再度教師のコメントをもらう。自己評価表は、それぞれの話の構成部分を聞き手がちゃんと理解できていたか、事の発端、クライマックス及び結末はどこで、それを聞き手は理解できていたか、それらのどこにどんな評価装置を使ったか、それらをうまく使えたかなどを記述式で答えてもらっている。

コースの流れと評価のサイクルをまとめると以下のようになる。

授業の目的及び目標の説明、教師の面白い失敗談の披露、課題のイメージの付与

↓

学習者の1回目の面白い話のクラスでの披露 (録音、文字起こし)

↓

学習者の面白い話に対する他の学習者と教師からのフィードバック (その場と評価表)

↓

モデルとなる複数の日本人母語話者の面白い話の視聴と分析

↓

モデルとなる面白い話の構造と評価的特徴のまとめ

↓

> | 学習者の自分の初回の面白い話の自己評価の提出、それに対する教師のコメント |

↓

> | 学習者の面白い話の再話（テスト、録音及び文字起こし） |

↓

> | 学習者の面白い話の再話に対する自己評価とそれに対する教師のコメント |

　以下に挙げる体験談「トレンド」は学習者にモデルとして分析してもらうナラティブの一例で、トランススクリプション記号は以下の通りである。

下線=内在的評価装置、イタリック=外在的評価節、@=笑い、!=拍手、M=司会者、N=語り手、G=ゲスト、A=聴衆、T=教師

「トレンド」

1N	:	あのこの春先ってなんかこのような形でナイロン素材のすごく明るい色のこうジップアップのブルゾンがはやったんですよ。	オリエンテーション部
2	:	いっぱいでてたんですよ。	
3M	:	はい、春先。	
4N	:	で、私はあの一渋谷でね、見てたんですよそれを。	
5M	:	渋谷行ったの、おー	聞き手とのインターアクション
6N	:	[@@行かせてよ行かせてよー。	
7M	:	[いや、いいよ、別に何も言ってないじゃん。気にしいね]	
8N	:	そいで]見てたら、	
9	:	すごくねーかわいいこういう色のねーあったの。(事の発端)	
10M	:	うん。　　　　　　　　うん。	
11N	:	もう春はこういうものを着なくちゃなーと思って。	
12M	:	淡い色で。	
13N	:	そうなの。若いあのーお二人ぐらいの店員さんが来て,	
14	:	すっごく良い子でねー　　　　　<オリエンテーション節>	
15N	:	「あっもうこれが今一番売れてんですよ。他のお店ではね、もう売れ切れちゃってもうこれしかないんですよ。」なんておっしゃるから、	
16M	:	はあ。	

17N	：「あっそうねーやっぱり春先はこれねーじゃあ私買います。」って言おうとしたその時、、	展開部
18M	：ええ。	
19N	：「娘さんにですか？」って[言われちゃったのー]。	
		（クライマックス）
20A	：　　　　　　　　　　　　　　[@@@@@]	
21M	：店員さんに？	
22N	：そう。そしたらふっと「もう一回また考えてくるー」とか言って。	
23	：でも、エスカレーターで降りたものの	
24	：あきらめきれず	結末部
25	：ちょっとあがったけど	
26	：やっぱり帰れず	
27	：他の店でまっピンク買っちゃった。　　　　（重要な結末）	
28M	：まっピンク。	
29G&A	：@@@	評価／
30N	：その自分が情けなくて。	終結部
31	：すっごく悲しくて。	

この話では、11 の外在的評価節による買いたかったブルゾンの淡いピンク色の強調と実際に買ったブルゾンの色（まっピンク 27）との落差、14 のオリエンテーション節の挿入による店員の良いイメージや 15 の絶妙なセールストークと 19 の店員が語り手に尋ねた下手な質問との落差、17 の語り手の内言と 22 の実際の発言との落差、23 から 26 までの心理を反映した評価的行為の詳細と意外な結末である 26 の簡潔さとの落差などが、様々なタイプの評価装置を駆使して作り出され、話の意外性に寄与している。また、内在的評価装置もクライマックス及びその近辺の一連の発話に最も集中的に使用されていることが下線の多さからわかる。

3. 初期の学習者の面白い話に見られる特徴

　学習者の初期段階の語りの構造と評価に見られる特徴は次の 5 つに集約される。それらは話の概要部や展開部などの話の比較的初期の段階で、話の意外な結末であるオチをバラしてしまうこと (3.1)、概要やオリエンテーション部での話の初期設定の説明不足 (3.2)、展開部や結末部のナラティブ節不足 (3.3)、そして、評価、特に内在的評価装置の使用不足 (3.4) と面白い話という課題と語り手の評価の乖離の問題 (3.5) である。以下に順次、その具体例と共に示す。

3.1 話の早い段階でのオチのネタバラシ

　本稿の冒頭に述べたように、話の面白さは意外性と深い関係にあり、その意外な結末であるオチをできるだけ最後まで取っておくことは、話の展開上非常に重要だが (羅, 2018, 200-202)、日本語学習者はそのオチのネタバラシを話の早い段階で行ってしまうことがある。例えば、以下の学習者Aの例では、語り手は話の一番最初の概要部で、話のオチをすべて説明してしまっている。

　　　　自分が思い出せる笑える様な失敗の話は、日本から初めてアメリカに来て「バーガーキング」と言うファストフードレストランを間違えて「ブガーキング」、訳しますと「鼻くその王様」と呼んでしまった事でしょうか。

　このように話の冒頭である概要部でオチのカラクリまで語ってしまうと、話の面白さに必須である聞き手の予想を後で裏切ることができなくなるため、その先を聞く意味が半減する。ここでは「私の笑える失敗は日本からアメリカに来て初めて食べたバーガーキングの話です。」程度に留めておけば、より面白い語りになったではないかと思われる。

3.2 概要やオリエンテーション部における不十分な説明

　学習者の初期の語りの2つ目の問題点は、聞き手が話をきちんと理解するために必要な概要やオリエンテーション部の初期設定説明が不十分なことである。この問題は、語り手にとっては至極当然で、説明しなくてもいいだろうと判断されたことが、実は聞き手にとっては説明が必要である場合や、単に説明し忘れてしまった場合に起こる。以下の学習者Bの語りでは概要とオリエンテーション部に聞き手には理解しにくい語り手の説明や状況があり、話のスムーズな理解の妨げになっている。

1N	：みなさん、おはようございます。	⎤ 聞き手とのインター
2	えっと私は始める前に、質問が聞きたいんです。	⎦ アクション①
3	みなさんは小さいころに、無理な夢がありますか？	⎤
4	……あったんですか？	｜ 概要部
5	……私は中学生の時にその夢があったんです。	⎦

6	私はえっとその時、よくYouTubeとかラジオとか、えっと聞いたりしましたから、	オリエンテーション部
7	*その時、私は歌手はかっこいいなと思って、*	
8	歌手になりたかったです。	
9	そして私は毎日毎日えっと子犬と練習して、	聞き手とのインターアクション②
10	*上手だと思っていました。*	
11N	：子犬？	
12N	：子犬。その時、小さな犬がいますから、犬にえっと歌いました。	
13As	：@@@	
14N	：うん。そしてある日、学校はタレントショーというイベントがあって	
15	そして私はえっと私はもちろん歌手になりたかったから、	
16	そのイベントを早速にサインアップして、えっとサインアップしました。 　(事の発端)	

　学習者には、聞き手を巻き込みながら、聞き手が理解しているか確認しながら話すよう指示したため、聞き手に質問しながら話を進めているのだと思われるが、それらの質問に聞き手は二回とも反応していない（インターアクション①）。聞き手にしてみれば「無理な夢があるか」という問いの意味が、子供の時に見た夢の話なのか、なりたかった将来の夢の話なのか、この時点ではよくわからず、どう返していいか戸惑っているところに、さらにもう一度「あったんですか」と強い調子で畳み掛けるように質問されたため、ここでその不明な言葉の意味をはっきりさせるべきか、語り手の次の一手を待つべきか迷っているような状態である[3]。結果、学習者Bは自分の問いに対する答えを聞き手から得ることを諦め、今から話すのは子供の頃に抱いていた自分の無理な夢 (=無茶な夢) の話だと話の概要を告げる。しかし、この概要も、次に語り手が子供の頃よく音楽をラジオやYouTubeなどで聞いて歌手に憧れ歌手になりたかったと述べたことで漸く子供の頃に持っていた夢の話だというのがわかった。そして続けて子犬とよく歌の練習をしていたことや、そんな時に歌を披露するチャンスが訪れたことが告げられる。しかし、この子犬との練習は、聞き手にとって奇妙に感じられたため、聞き手の一人である教師は聞き間違いではないかと思い、11 において「子犬？」と聞き返し

---

3) ここでは、「皆さんは子供の頃、どんな夢を持っていましたか」と聞いた方が、聞き手は答えやすかったものと思われる。また、話の結末をネタバラシすることなく、聞き手にとってより予想外のものにするには、話の結末を想像させる形容詞の使用はない方が良かったのではないかと思われる。

ている (インターアクション②)。それに対し、語り手は子犬だと答え、それが聞き間違いではないことが明らかとなる。それで、その状況を奇妙に感じた複数の聞き手が、13において軽い笑いの反応を示している。聞き手がこの状況を奇妙に感じていたことは、次項で提示するこの話の続きの最後に起こった聞き手の質問からも明らかである。

3.3　ナラティブの骨子であるナラティブ節の少なさ

　今から提示する部分は前の学習者Bの話の続きで、展開部から最後の評価部までの部分である。ここで示す初期の学習者のナラティブの特徴は、ナラティブの骨子となる展開部や結末部のナラティブ節の少なさである。いかに飾りとなる評価節を並べ立てても、肝心のナラティブ節が少ないと、どの出来事がクライマックスなのか、あるいは結末がどこなのかがはっきりしなくなる。つまり、話が文字通り骨抜きになってしまうのである。特にこの話の場合、展開部の後ろに評価部があるが、それに対応する結末がないために、聞き手は肩透かしを食ったような感覚に陥っている。

17N	：そしてようやく、えっとーイベントの日がきて、	展開部
18	私はステージを入ると	
19	歌いました。　　　　　　　　（クライマックス）	
20	そしてみなさん、これはまた質問があるんです。	評価部／終結部
21	私は音楽のことを何も勉強しなくて、でも自信がいっぱいある僕はどうやりましたか？	
22	やっぱり、私の夢はただ夢だった。	
23	……はい、ありがとうございます。	
24As	：……！！！！！	聞き手とのインターアクション③
25T	：で、観客の反応はどうだったの？	
26N	：　！　！　！(観客のまばらな拍手の真似)こんな感じ。	
27T	：ふうん、よくなかったんだね……みんなの方から何か質問はありませんか。	
28A	：……あの、どうして子犬と練習したんですか？	
29N	：あ、それはその時僕は友達がいなかったから。	
30T	：……他に質問ありますか？……じゃあ、他に何かあったら、評価シートに書いてね。	

　この話の展開部は「ようやく」という副詞により始まっており、この語り手がそのイベントがくることを心待ちにしていたことが表現されている。しかし、ステージで歌った事実は語られているが、どのように歌ったのかについては一切触れられていない。それどころか、逆に聞き手に質問という形で投げかけられている。しかも「音楽のことを何も勉強していない」僕と自分の歌に対して「自信がいっぱいある」僕というマイナスとプラスの両方の情報が与えられた上での丸投げであるから、聞き手にとっては結末を予想することは難しく、答えられていない (20&21)。しかし、それでも、語り手は結末を語ることなく、22の最後の評価節を「やっぱり」というそれが語り手の想像通りの結果だったことを示す副詞でスタートさせ、「私の夢はただ (の) 夢だった。」と、タレントショーの結果を暗示するような外在的評価を示し、話を終えている。しかし、聞き手の方は語り手からこれからその結末が語られると思い、待っている状態である。しかし、語り手が 23 で「はい、ありがとうございます。」と再度話が終わったことを強調したことにより、ようやく聞き手は話が終わったことを悟り、数秒遅れでまばらな拍手が起こった。そこで、教師は単刀直入に語り手に対して歌への観客の反応はどうだったのかと聞いている (25)。それに対し、話し手はその時受けた観客の非常にまばらな拍手を再現し、観客の反応がよくなかったことを伝えている (26)。さらに、学習者の一人は教師に質問を促され、奇妙に感じていた犬との歌の練習の訳を尋ねている (27)。すると、それが孤独だった彼の中学時代を象徴する出来事であったことが判明し、少し気まずい雰囲気となり、それ以上の質問は起こらず、また、笑いも一度も起こっていない (聞き手とのインターアクション③)。これらのことから、聞き手はこの話を笑える話としては捉えられなかったと考えられる。

3.4　内在的評価装置の使用不足

　学習者は一通り初級や中級の文法項目を学習し終え、それぞれの意味や用法を学びそれらを知識としては持っていても、それらを総合的に使用する機会はそれほど多くないため、この面白い話を組み立てるという課題は、その累積された知識を総合的に意識させ、応用させる絶好の機会となる。以下に挙げる学習者Cの話は、英語を母語とする日本語学習者に典型的な語りで、起こったことは誤解なく伝わるものの、その肝心の語り手の感情があまり伝わらないという特徴を持つ。このことは、聞き手の感情移入による共感が話の成功の鍵となる体験談においては (山口, 2018, 63)、致命傷となる。

1N	：この話は中学生の時です。	
2	ある日、学校で、友達と昼ごはんを食べていました。	オリエンテーション
3	私は木の隣に立っていました。	部
4	この木の横に段、ステップス、がありました。	
5	そこで、友達が座っていました。	
6	私たちはご飯を食べしながら、喋っていました。	
7	急に、プロップ、何か私の頭に落ちました。(事の発端)	
8	友達は「xx、あなたの上に鳥うんこがある。」と言いました。　　　　　　　　　(クライマックス1)	
9	私はびっくりして、恥ずかしくて、	
10	お手洗いに走って	展開部
11	鳥うんこを拭き取りました。	
12	後で、戻りました。	
13	数分後、プロップ、また、鳥うんこを落ちました。　　　　　　　　　　　　　(クライマックス2)	
14	でも、今回は草、grassに落ちました。(重要な結末)	
15	私たちは「ふー、よかったー」と言いました。	結末部
16	*まあーあの日、あの日の鳥は怖いものだった。*	
17As	：!!!!!	

　このナラティブには日本語で体験談を話す上で欠かせない、文末のノダ、知覚したコントロールできない事態を導く（ソシ）タラ、感情を表すテシマウやクレルなどの日本語特有の内在的評価装置は一切使用されていない。「急に」という予期しない展開を告げる副詞（7N）や「プロップ」という英語のオノマトペ（7N&13N）と直接話法（8N&15N）が主な評価装置であるが、これらは英語の語りにもよく使用される評価装置である。そして基本的に最初と最後以外のすべての出来事や状況は日本語の語りの標準文法とされるテ形と「ました」で終わる発話で統一的に語られているため、単調で、英語の語りを直訳したかのような客観的で事実ベースの語りになっている。そして、課題達成の証となる聞き手の笑いは話のどこにも起こっていない。

3.5　面白い話という課題と語り手の評価の乖離

　学習者Aは3.1の話の概要部分において、自分の話を「笑えるような失敗」の話としてスタートさせているが、話の最後を以下のような評価で締めくくっている。

未だに思い出すと、恥ずかしすぎて、しょうがないです。自分は結構ネガティブ思考で過去を見てしまうので、笑えると言うより恥ずかしみとしか覚えていません。この様なつまらないお話でしたが、聞いていただき、ありがとうございました。

　自らの語りやその中の出来事に対し、「つまらない」や「恥ずかしみ」というような評価が付与された場合、聞き手もそのような解釈をすることを余儀なくされるのがナラティブにおける評価の役割であり、機能でもある。この例は、話が語り手によって面白い話として意味付けされなければ、聞き手も話を面白い話として解釈しにくくなることを示している。

4.　学習者の再話の分析

4.1　学習者 B の再話

　学習者Bも自分の話を笑える失敗談として提示したかったにも拘らず、その試みが失敗したことは肌身で感じたようだ。再話では前回話した時の聞き手の反応やコメントを受け、同じ話を以下のように修正している。

1N	：皆さん、おはようございます。	
2As	：おはようございます。	
3N	：始める前に皆さんに聞きたいことがあるんです。	概要部
4	えっと、小さいの時に、ありえない夢を持ったことがありますか？	
5	僕はね、あの、そんな夢があったんだ。	
6	<u>実はね</u>、私は中学生の時に、歌手になりたかった<u>ん</u>だ。	
7	*「それ普通じゃない？」* と皆さんはきっと思っているんでしょ？	
8	*それは確かに普通の夢だけど、*	
9	*僕が、中学生の僕がやったことは全然普通じゃなかったんだよ。*	
10	えっと、そのときね、私の学校はー私の学校でタレントショーというイベントがあったんだ。	オリエンテーション部
11	そのイベントで、あの、やりたい生徒たちは全校の前でなんでもしたいことをできました。	
12	例えば、マジックをするとか、ギターを弾くとか。	

13	それは大きいなステージで、No、大きなステージの上でできました。	
14	自信に溢れている僕は、そのイベントが参加者を募集していると聞いた時、	展開部
15	サインアップしたんだ。　　　　　　　　（事の発端）	
16	そしてね、歌を決めた後で、	
17	毎日毎日練習した。	
18	友達がいなかったから、すみません、*友達と練習したかったけど*	
19	友達がいなかったから、犬と練習していた。 　　　　　　　　　＜オリエンテーション節＞	
20	*今考えると、犬にとって私はとても*めんどくさいなやつだったよね。	
21	ドアが閉めているから、犬が逃げたくても逃げられなかったです。　　　＜オリエンテーション節＞	
22	そして、イベントの日が来たんだ。	
23	僕は、ステージを入って、	
24	皆に歌った。	
25	そして、全然拍手がないんです。 　　　　　　　（クライマックス／重要な結末）	
26As	：@@@@	
27N	：*僕は歌った時自分が聞こえなかったから、いいパフォーマンスをしたと思いましたが、*	評価／終結部
28	*実は超失敗してしまいました。*	
29	*今考えると、早く自分の歌声を録って聞いたら、この事件が起れなかったと思うんですけど、*	
30	*まあ、とにかく、これは私の一番恥ずかしい物語だ。*	
31	以上です。	
32As	：!!!!!!!!!	

　まず、学習者Bは冒頭部分の聞き手を巻き込みながら語るスタイル自体は変えていないものの、再話では聞き手が答えないことを想定し、質問を単なる修辞的なものとして使用、話を進めている (3~5)。このことにより、聞き手にとっては質問に答えるプレッシャーのない話のスタートとなった。また、以前の「無理な夢があったか」という意味の曖昧な質問は「ありえない夢を持ったことがありますか」という表現に変わっているが、これは言葉の意味の曖昧さを避けるアドバイスとして教師が事後評価表に書いたコメントの表現がそ

のまま使われているため、それを参考にしたものと思われる。そして聞き手に対する同様の修辞的問いかけは7でも起きている。これは、クラスメートによる事後評価表のコメントに、歌手になりたいという夢は子供にありがちな普通の夢ではないかとの指摘があったことに因る。それに答えた形で、8においてはその考えには同意した上で、しかし9においては自分のやったことは普通ではなかったという、自分なりのこの話の出来事に対する評価を聞き手に伝えている。次に語り手が自分の語りに修正を加えていると思われるのは、タレントショーの説明である。これは教師の方から、日本人に話す場合、それが何かわからない可能性があることを事後評価表で伝えたため、タレントショーがどんなものかを例を加え、説明したものと思われる。また、学習者Bが行った修正の中で最も効果的なシフトだと思われるのが、自分の歌に対する能力の描写についてである。前の話では、「音楽のことを何も勉強していない」僕と「歌にいっぱいの自信を持つ」僕という2つの相反するイメージ情報が、聞き手の話の結末予想を困難なものにしていたが、再話では、14において自分の歌に対し自信に溢れていたイメージのみが提示されている。これについては誰もコメントしていないが、前の話の結末がわかりにくかったというコメントは複数あったことから、それらのコメントとモデルとして提示された面白い話の分析を通して得たことも参考にして、修正に至ったものと思われる。これはこの話のオチという観点から見たときに、ネタをバラすことなく結末との落差を大きくする方向へのシフトであることから、この話の面白さに貢献する転換であると考える。さらに、前回は3つしかなかったナラティブ節は8つに増えている（14~17&22~25）。これは前回、この話の結末を聞き手に理解してもらえなかったことから修正に至ったと思われる。しかも、この話の中で一番盛り上がるクライマックスであり、かつ結末でもある25には、前回の話にはあまり使用の見られなかった内在的評価装置の集中的使用も見られる。それらは「全然」という強意の副詞、比較詞の否定、臨場詞のHPと、聞き手に間主観的認知を促す比較詞で強意のモダリティー表現ノダである[4]。また、内在的評価装置だけでなく、結末後の外在的評価節も4つに増えている（27~30）。さらに、結末前には、前回聞き手が奇妙に感じた、犬との歌の練習の様子とその理由を説明するオリエンテーション節が、犬の視点から見た自己への評価とともに挿入されている（18~21）。このことにより学習者Bの抱えていた当時の特殊な事情とその行動の特異性が強調されると同時に、ナ

---

4) 惜しむらくはN25における、ソシテの使用である。ここでソシタラが使われていたらよりインパクトのある結末になったであろう。また、さらに欲を言えば、自分の視点からで良いので、どのように歌ったのかについての詳細な描写があれば、より効果的な語りになっていたのではないか思う。

ラティブの進展が一時停止するため、発表会当日のクライマックスである結末に到達するまでのサスペンス、ないしは焦らしとしても機能している。

　この話が前回より効果的な語りになっていることは、語り手が意図したクライマックスで重要な結末でもある出来事の直後に聞き手の笑いが起こっていることや、最後に惜しみない拍手が即座に起こっていることからも明らかであろう。この再話に起こっている変化としては、まず前回の語りの反省を踏まえて、聞き手や自分以外の登場人物である犬の視点を取り入れ、より間主観的な語りになっていることが挙げられる[5]。このことは効果的な語りをする上で、非常に重要なことで、語り手が聞き手の側の持つ知識や価値観にも配慮した結果、概要とオリエンテーションにより質、量共に適度で必要な情報が盛り込まれ、共感しやすい語りとなっている。また、話の骨格である結末も含めたナラティブ節が拡充されたことで、その骨格の重要性に比例した肉となる評価がナラティブ節の内側並びに外側からつくという、Labov や Longacre のナラティブの理論的な構図に近づいた語りになったと言えるだろう。

4.2　学習者 C の再話

　前回の語りでは笑いが起こらなかった学習者Cの話は以下のように変化した。

1N	：	おはようございます。	
2As	：	おはようございます。	
3N	：	この話は中学生の話です。	
4		ある日、学校で、友達と昼ごはんを食べていました。	
5		私は、木の横、あー隣に立っていました。	オリエンテーション部
6		その木の横にステップがあって、	
7		そこで、友達が座っていました。	
8		私たちはご飯を食べながら、喋っていました。	
9		そしたら、急に、何かが私の頭に落ちたんです。（事の発端）	
10		それで、私の頭を触ってみました。	
11		そしたら、私が、白い液、液体はLiquid、白い液体がついていました。	

5) 早瀬 (2016, 221-222) は Intersubjectivity のいくつかの定義を紹介しているが、ここで筆者が間主観的と言っているのは、現象学の分野で言われているような「話者の主観と聴者の主観とがすり合わされた結果生じる共通の理解認識」という意味である。

12	そしたら、友達が「xx、頭の上に鳥うんこがある」っていうんです。　　　　　　（クライマックス1）	
13	*私はびっくりして、恥ずかしくて、*	
14	お手洗いに走っていって、	
15	そのうんこを綺麗に拭き取りました。	
16	そしたら、友達のところに戻りました。	
17	そしたら、友達が「xx、大丈夫？」って聞いたので、	展開部
18	私は「できるだけ、うんこを拭き取ったんだ。」と言いました。	
19	*こんなことが起こるなんて、びっくりして、*	
20	*もう一度空からうんこを落ちるかなーって思ってたら、*	
21	また、ピシュってうんこが落ちたんです。　　　　　　（クライマックス2）	
22As	：@@@@	
23N	：でも今回はグラスの上に落ちたから、　（重要な結末）	
24	*大丈夫でした。*	
25	私たちは「ふー、よかったー」と言いました。	結末部
26	家に帰ったとき、	
27	すぐにシャワーを浴びました。	
28	*まあー、あの日の鳥は本当に怖かったです。*	
28As	：!!!!!	

学習者Cは初回の語りの自己評価表において、自分の話にコントロールできない予想外の出来事をマークする（ソシ）タラや重要な出来事を強調するノダ、臨場感を生むHPの使用がないことに気づき言及している。その自覚が、今度は過剰使用気味である9、11、12、16、17、20の（ソシ）タラや9、12、21のノダ、12のHPの使用につながっていると思われる[6]。これらはモデルとなる面白い話及び自身の語りの分析から気づき、問題が意識化された結果の使用である。さらに、変更したいこととして、友達との会話の直接引用や自分の思考引用をもっと増やしたいとの記述がある。それで17、18の友達との会話や19、20の思考引用

---

6) この中で、16と17はソシタラでマークされなくてもいい出来事である。16に関しては、ソノアトを使うはずだったことが2回目の自己評価表に書かれている。

が付け加えられたと思われる。これにより、一回目と二回目の鳥の襲撃の間に詳細情報が増え、その結果二回目の事態へのサスペンス感が増しただけでなく、さらには日本語のオノマトペ「ピシャ」と強意の間主観的モダリティー表現であるノダが加わり、より臨場感を持ってその事態が強調されている。この「ピシャ」というのは教師の側からのコメントで提案した複数の日本語のオノマトペの中から選ばれている。またここは、この学習者Cが話のクライマックスとして意図した箇所であり、その意図した通りに、聞き手の笑いが起こっていることは特筆に値する。さらにもう1つ、学習者の自己評価に対する教師からのコメントで再話に反映されていると思われるのは、「家に帰ってからそれに関して何かしませんでしたか？」という問いである。その答えとして 26 および 27 の家でのシャワーが付け加えられたと思われる。これにより初回の話では話が臨場感のある直接引用のナラティブ節からいきなり話のまとめとなる評価節に変わり、話が終わっていたが、再話では直接引用から過去形のナラティブ節になり、そして最後に評価節へと移行するという、より話の出口にむけてなだらかにシフトする語りへと変化している。

4.3　面白い話という課題と語り手の評価の乖離の問題

　大島 (2006, 56) は体験談や失敗談を語ることは「自己のアイデンティティの主張」にもなり、「異文化コミュニケーションの原点でもある自己発見にもつながる」と述べている。最後にこの項で取り上げたいのは、語り手の民族的あるいは文化的アイデンティティというより、「自分はどういう人間か」という個人のアイデンティティの問題である。言い換えれば、自分の価値観に忠実に行動し、評価するという、自分自身の物の見方や考え方などの価値観への同一化に関わる問題だとも言える。なぜこの問題を最後に取り上げるかというと、学習者の中には、言葉の正確さや話し方以前の問題として、自らの物の見方との関係で面白い話という課題を達成できない学習者もいるからである。大津 (2010, xix) は、体験談についてではないが、効果的なジョークを話す際に必要な姿勢として、「何に対しても可笑し味を見出そうという態度」や「陰を知りながらも陽を指向する感覚」、そして「自在に日常からズレを楽しみ、そのズレを受け入れる度量」などをあげている。以下の学習者Aの再話に付加された評価は、そのような姿勢が面白い話においても重要であることを感じさせる。

　　私はすごく恥ずかしかったです。しかし、皆さんにとっておかしかったのなら、良かったと思います。

この評価からは、学習者A自身はまだこの話の出来事を本当に面白い出来事としては捉え切れていないことが感じられる。学習者Aの話自体は面白い話になる可能性を秘めた話であるだけに、教師としては、学生には出来事を様々な視点や角度から見られるようになって欲しいと思いや、より幸せで楽しい人生を送って欲しいとの思いから、コメディアンという職業とその意義の話をしたり、物事は色々な側面を持ち、見方次第では見える世界が変わることなどを話したりもした。しかし、物の見方というのは習慣や癖のような側面があり、そう簡単には変わらないものだと悟った。その一方でこのようなタイプの学生達とのやりとりを通じて、この面白い体験談の活動は少なくとも彼らに「陰を知りながらも陽を指向する」という姿勢も人生において大事であることを伝え、物事の見方を議論する場にもなりうる活動であるということを認識させられた。

5. おわりに

本稿では、三人の日本語学習者のクラスの初めと終わりに語られた学習者の語りを分析することで、アメリカの上級レベルのクラスの日本語学習者が面白い話をする上でどのような問題を抱えており、そして学習者が聞き手とのインターアクションや聞き手の事後評価、またモデルとなる日本語の面白い話や自分の語りの分析を通して、どのようにそれを自覚し、語りが変化したかを見た。

はじめの語りでは、話の構造という面で、話の早い段階でのネタバレや概要やオリエンテーションの説明不足ならびにナラティブ節不足の問題が、評価という面では評価装置の使用不足や面白い話という課題と語り手の出来事への評価の乖離という問題があることが判明した。それに対して、再話の分析からは、自分の語りに対する聞き手による反応や事後評価、学習者による日本人のモデルナラティブや自分の語りの分析を通して得た気づきによって、聞き手との知識や話の評価に対する隔たりの調整や、様々なタイプの評価装置の使用を試みた痕跡が認められた。そしてそれにより学習者の語りはより間主観的で、情報的落差やサスペンスのある、より効果的な語りに変化していた。しかし、その一方で特定の内在的評価装置の過剰使用の問題や、面白い話という課題と語り手の自身の話の評価の乖離という、個人のものの見方に起因する根深い問題があることが明らかになった。

今後は、より多くの効果的な日本人の面白い話を分析し、学習者に伝えていける日本語の面白い体験談の語りの特徴をさらに増やしていくと共に、この体験談のクラスを日米間でインターネットを用いて繋いだり、日本人留学生をクラスに招いたりすることで、より異文化

的視点から多くのフィードバックがもらえるクラスにして行けたらと考えている。

参考文献

大島希巳江 (2006).『日本の笑いと世界のユーモア―異文化コミュニケーションの観点から―』世界思想社.

大津秀司 (2010).「ジョークと『落ち』」『熊本県立大学大学院文学研究科論集』3, i-xxv.

加藤陽子 (2003).「日本語母語話者の体験談の語りについて―談話に現れる事実的な「タラ」「ソシタラ」の機能と使用動機―」『世界の日本語教育』13, 57-74.

鎌田修 (2018).「プロフィッシェンシーから見た面白い話」定延利之 (編),『限界芸術「面白い話」による音声言語・オラリティの研究』442-457. ひつじ書房.

小玉安恵 (2011).「体験談における歴史的現在形の機能と視点」『日本語教育』148, 114-128.

小玉安恵 (2019).「体験談における引用助詞ッテ, ト, 及び 無助詞の機能」『社会言語科学』21 (2) ,18-33.

小玉安恵 (2020).「面白い話が本当に面白い話になるために必要なこと」『社会言語科学』23 (1) , (印刷中).

酒井峰男 (1997).「日本語中上級者の『話す能力』を高めるための学習項目―学習者の体験談を通して―」『岡山大学留学生センター紀要』5, 35-50. 岡山大学留学生センター.

酒井峰男 (2004).「口頭による体験談100編の構造分析」『岡山大学留学生センター紀要』11, 31-46, 岡山大学留学生センター.

定延利之 (2018).「限界芸術『面白い話』と音声言語・オラリティ」定延利之 (編),『限界芸術「面白い話」による音声言語・オラリティの研究』2-33. ひつじ書房.

瀬沼文彰 (2018).「『ちょっと面白い話』を通して現代社会の『笑いのコミュニケーション』を考える」定延利之 (編),『限界芸術「面白い話」による音声言語オラリティの研究』78-109. ひつじ書房.

野村益寛 (2016).「ナラトロジーからみた認知文法の主観性構図―『焦点化』をめぐって―」中村芳久・上原聡 (編),『ラネカーの (間) 主観性とその展開』185-205. 開拓社.

早瀬尚子 (2016).「懸垂分子構文から見た (inter) subjectivityと (inter) subjectification」中村芳久・上原聡 (編),『ラネカーの (間) 主観性とその展開』207-229. 開拓社.

羅希 (2018).「語りの構造をめぐって―『わたしのちょっと面白い話』から見えてくること―」定延利之 (編),『限界芸術「面白い話」による音声言語・オラリティの研究』184-209. ひつじ書房.

山口治彦 (1998).『語りのレトリック』海鳴社.

山口治彦 (2018).「パブリックな笑い、プライベートな笑い ―ジョークと体験談に見る笑いの種類と文化の関係―」定延利之 (編),『限界芸術「面白い話」による音声言語オラリティの研究』36-77. ひつじ書房.

Chafe, W. (1994). *Discourse, Consciousness, and Time*. Chicago and London: The University of Chicago.

Cortazzi, M. & Lixian, J. (2000). Evaluating Evaluation in Narrative. In Hunston, Susan and Geoff
Thompson (eds.), *Evaluation in Text: Authorial Stance and the Construction of Discourse*. 102-219.
New York: Oxford University Press.

Hunston, S. (2011). *Corpus Approaches to Evaluation. Phraseology and Evaluative Language*. New York,
London: Routledge.

Labov, W. (1972). The Transformation of Experience in Narrative Syntax. In *Language in the Inner
city: Studies in the Black English Vernacular,* 354-396. Philadelphia: University of Pennsylvania
Press.

Labov, W. (1997). Some Further Steps in Narrative Analysis. *Journal of Narrative and Life Story 7,* 395-
415. John Benjamins Publishing Company.

Longacre, R. (1981). *A Spectrum and Profile Approach to Discourse Analysis. Text1* (4) , 337-359.
Australian Association of Writing Program.

Tannen, D. (1993). What's in a Frame? Surface Evidence for Underlying Expectations. In D. Tannen (ed.),
Framing in Discourse. 14-55. New York, Oxford: Oxford University Press.

Tannen, D. (1994). *Talking Voices: Repetition, Dialogue and Imagery in Conversational Discourse*.
Cambridge, New York, Melbourne: Cambridge University Press.

Yamada, M. (2003). *The Pragmatics of Negation: Its Functions in Narrative*.Hitsuji shobo.

日本語プロフィシェンシー研究学会・
日本語音声コミュニケーション学会第2回合同大会
（通称「おもしろうてやがて非流ちょうな京都かな」）

2019 年 10 月 5 日（土）
京都大学

【プログラム】

13:00-13:05	開会の辞
13:05-14:45	研究発表

「日本語学習者のおもしろい話はおもしろいのか」
アンディニ・プトリ（金沢大学大学院）・松田真希子（金沢大学）
「自立語がない「寄り添い」発話」　　　　　　　　定延利之（京都大学）
「発話末にみる日本語母語話者の非流暢性（非正確性？）」
伊藤亜紀（名古屋大学大学院）
「フランス語の時の前置詞 après の様々な用法とその学習方法について
―非流暢性と日本語との対照の観点から」　　秋廣久恵（東京外国語大学）

15:00-16:55	シンポジウム「文末満の非流ちょう性」
15:00-15:20	趣旨説明　定延利之
15:20-16:20	講演ロコバント靖子＆エルンスト・ロコバント
16:20-16:55	ディスカッション　コメンテーター：林良子
16:55-17:40	閉会の辞　鎌田修 (JALP)

主催

日本語プロフィシェンシー研究学会　http://proficiency.jp/
日本語音声コミュニケーション学会　http://www.speech-data.jp/nihonsei/index.html
文部科学省科研費プロジェクト基盤 B「対話合成実験に基づく、話の面白さが生きる「間」の研究」　http://www.speech-data.jp/kaken_ma/

日本語学習者の面白い話はどう面白いのか

―マルチモーダル・コミュニケーションの観点からの分析―

アンディニ　プトリ (金沢大学大学院)

松田真希子 (金沢大学)

要旨

　本稿は、L2 の日本語をより積極的に評価することを目的に、「わたしのちょっと面白い話」コンテストで受賞した日本語学習者の面白い話の特徴をマルチモーダルな観点から分析を行ったものである。分析の結果、言語行動と手振りなどのジェスチャーには個人差がみられたが、頭の動き、視線とふるまいの模写には普遍性が見られた。また、日本語学習者の面白い話は、言語面で日本語として不自然な使用が多くみられたが、面白い話においてはそれらが話法の自由度の高さといった面白さの演出となっている可能性が見られた。また、日本語学習者の話が母語話者と異なる傾向として、話のオチのような大事なところでの非流暢性、デ系、タラ系の不使用によるオチや盛り上がり部分の不明瞭さ、直接引用のところでのなりきり不足という 3 点が見られた。これらの点は面白くなく聞こえる要因となっている可能性を指摘した。

キーワード : わたしのちょっと面白い話、マルチモーダル・コミュニケーション、談話標識、非流暢性、フィラー

How funny is Japanese Learners' Funny-Storytelling?

Analysis from the Viewpoint of Multimodal Communication

Andhini Putri (Graduate School of Kanazawa University)

Matsuda Makiko (Kanazawa University)

Abstract

This paper discusses the funny stories of Japanese learners from a multi-modal viewpoint using the "My little funny story" contest as data in order to place L2 Japanese usage into a more positive context. As a result of analysis, there were individual differences in gestures such as verbal actions and hand gestures, but universality was seen in head movements, gazes and behaviors. Funny stories of Japanese learners were "unnatural" in terms of language than native speakers of Japanese. Also, the four factors that make Japanese learners' stories less interesting are that disfluency in the climax of story, non-use of *de* and *tara*, or and keep going on in the direct quote. However, it has been observed that the degree of freedom in speaking was higher than that of native speakers.

Keywords: My funny stories, Multi-modal communication, Discourse markers, Disfluency, Filler

1. はじめに

　近年、日本語学習者の日本語と日本語母語話者 (NS) の日本語を取り上げ、日本語母語話者の日本語がモデルであり、日本語学習者はそれに従属すべきという考え方ではなく、言語間の境界線を流動的に捉え、自身のことばにオーナーシップを抱き、多様なことばの生態を積極的・肯定的に評価しようという言語学習観が提起されている (Iwasaki & Kumagai, 2020)。日本語学習者の日本語を母語話者との異なりから一様に誤用と捉えるのではなく、聞き手にどのように受け止められているのかという観点からみると、母語話者にはない表現の魅力や豊かさに気づかされる点も多い。特に「面白い話」のナラティブには規範から解放された異種格闘技的な面白さがある。

　「わたしのちょっと面白い話コンテスト」は定延利之氏によって 2010 年より毎年開催されている企画である。コンテストに応募した参加者たちの短く面白い話は音声と動画の形で収録され、字幕付きのコーパスとしてネット上に公開されている。近年は日本語母語話者だけではなく、世界各国の日本語学習者による日本語の面白い話がインターネット上で公開され[1]、これをデータとした「面白さ」をめぐる通文化比較研究 (櫻井他, 2018) や、笑いの言語特性研究等が行われている (川田, 2018; 金田他, 2018; 三枝, 2018 等)。

　金田他 (2018) は、笑い話における関西の一般人と芸能人の言語・非言語行動の特徴を比較分析した。その結果、言語的特徴として、関西地方の笑い話及び笑いを伴う体験談では、タラ系接続表現を使って物事との遭遇やその反応を再現し、さらにそれを繰り返すという構成が採られることが確認された。また、非言語的側面では、出来事語りの中での遭遇や反応の時には聞き手と目を合わせること、話のオチの近辺で身振りの出現が最も頻繁になることを述べている。

　また、金田 (2018) は関西の一般人の直接引用について分析を行った。その結果、引用元の話者の人物像をステレオタイプに基づき表現するタイプ (キャラ表現) が見られた。また、話者を半ば揶揄する (バカにする) ように、独特の人物として表現するタイプも確認された。

　三枝 (2018) は日本語話者、非母語話者各 55 名をデータとし、「ちょっと面白い話」の開始部と終結部の言語的特徴について分析を行った。その結果、日本語母語話者には、始発文の「のだ」の使用や、話し終わりに「~という話です」と一括りに語りものとして提示する傾向が見られるが、日本語学習者は始発文での「のだ」の不使用、話し終わりのバリエーショ

---

1) http://www.speech-data.jp/chotto/

ンの豊富さ、開始部や終結部に動詞文を多用していることなどが確認された。

　金田の一連の研究は、日本語母語話者の言語・非言語行動特性を明らかにしたが、日本語学習者との比較は行われていない。また、日本語学習者と母語話者の面白い話の異なりについては、三枝 (2018) を除き、まだ十分に検討されていない。特に日本語学習者の非言語行動面の分析は十分ではない。

　そこで、本論文では、「わたしのちょっと面白い話」における日本語学習者の言語・非言語行動の特徴を先行研究で示された日本語母語話者の特徴と比較し、それぞれの特性と普遍性について検討する。そして、日本語学習者による面白い話の日本語語りにおいては、日本語母語話者の語りに近いことだけが必ずしも語りを面白くするわけではないということを述べる。

2.　研究方法

　談話資料は「わたしのちょっと面白い話コンテスト」に投稿された日本語学習者による面白い話である。第 5 回～第 7 回における受賞者から 4 名を選択し、量的・質的に分析を行った。この 4 つはすべてコンテストの受賞作品であり面白さについては質が保証されている。日本語学習者の日本語力は上級レベルである[2]。また、補完的に同時期の他の日本語学習者による受賞作品 (全 9 作品) も含めて検討を行った。話者情報を表 1 に示す。

　調査方法は 2 段階からなる。まず言語的特徴を分析するために、談話資料の字幕 (トランスクリプション) を分析した。検討した項目は、フィラー、談話標識、非流暢性、開始・終結部の 4 点である。フィラーの定義は山根 (2002) の「それ自身命題内容を持たず、かつ他の発話と狭義の応答関係・接続関係・修飾関係にない、発話の一部分を埋める音声現象」という定義に従った。談話標識は金田他 (2018) に従った。非流暢性については、本論文では言いなおし (語頭戻り) のみを分析対象とした。

　次に、非言語的特徴を観察するために、話者の行う視線、手振り、頭の動きの 3 つの項目について、映像をもとに、談話アノテーションツールELANを用いて分析を行った。アノテーションは、アンディニと松田がそれぞれ行い、アグリーメントをとった。調査項目を表 2 に示す。

---

2) 話者 4 名の日本語力については、4 名を実際に知る人物 2 名から確認を取った。

＜表1＞　話者情報

	No.	受賞	発話(秒)	単語数	タイトルと内容
1	f2014043	銀賞	178	427	「レベルの違うダンス」：クラブにいったときに感じた黒人ダンスとアジア人のダンスとの違い
2	f2016014	銅賞	60	137	「男の子とエロイビデオ」：PCでみていたビデオの音声をBluetoothのせいで父親に聞かれた話
3	f2015050	銅賞	267	687	「最後のひとつ」：のこったおかしをどっちが食べるかで意味の「食い違い」が起こった話
4	f2014042	金賞	375	1,105	「究極な気まずさ」：妻を日本語で「愛人」と紹介した中国人同僚の話

＜表2＞　調査検討項目

区分	検討する項目
言語的特徴	フィラー、談話標識、非流暢性、開始・終結部
非言語的特徴	視線、手振り、頭の動き、直接話法時のキャラ変換

3.　日本語学習者の面白い話に見られる言語的特徴

3.1　フィラーの使用傾向

　話者1-4が使用していたフィラーを＜表3＞に示す。分析の結果、話者ごとにフィラーの使用傾向に量的・質的な異なりが確認された。まず、量的な分析結果を報告する。頻度で見ると、話者3、4は、フィラーの頻度が比較的高い傾向 (話者3; 11語に1回、話者4; 12語に1回) が見られた。前川 (2004) は日本語話し言葉コーパス (CSJ) の分析で、日本語母語話者が17語に1回程度の頻度で用いることを報告している。そのことを考慮すると若干高頻度であるといえる。話者を知る人物2名に聞いたところ、話者1が最も日本語能力が高く、話者3はそれに続いて高く、話者2、4は相対的に日本語能力が低めとのことであった。話者1と3のフィラーの出現頻度は低めであった (話者1; 24語に1回、話者3; 21語に1回)。それらのことから、日本語学習者の面白い話に見られるフィラーの頻度の高さは日本語の熟達度や非流暢性と関連している可能性が伺える。

＜表 3＞　フィラーの出現状況

フィラー	話者 1	話者 2	話者 3	話者 4	合計
時間 (秒)	178	60	267	375	880
単語数	427	137	687	1,105	2,356
あのー	5	1	0	10	16
あの	3	2	0	4	9
まあ、ま	3	0	5	53	61
その、そのー 3)	0	0	11	1	12
えー、え	0	7	1	6	14
えーとー	0	1	3	2	6
あー、あ	0	1	3	10	14
もう	4	0	5	0	9
う	0	0	2	0	2
なんか	3	1	3	3	9
合計	18	13	33	89	152
時間間隔 (秒)	9.89	4.62	8.09	4.21	5.8
単語間隔	24	11	21	12	16

　形式を量的に観察すると、話者ごとにそれぞれ多用するフィラーが異なっていることが確認された。最も多用していたのは、話者 1 は「あのー」、話者 2 は「えー」、話者 3 は「その」、話者 4 は「ま」であった。この 4 名の話し方を見ると、話者 1 は上品で女性的なキャラ、話者 2 は真面目で元気なキャラ、話者 3 は穏やかで親しみやすいキャラ、話者 4 は真面目でビジネスライクなキャラとそれぞれ異なるキャラに見えた。堤 (2019) ではスポーツ選手のフィラーにスポーツごとの傾向があること、フィラーの選択がキャラクタの表出と関わっていることを指摘している。この 4 名のフィラー出現傾向においても、フィラーが発話意図との結びつきで選択的に産出されるだけでなく、各自のキャラクタの表出とも関わるフィラーの指向性がある可能性を示唆している。

　次に質的に分析した結果を報告する。使用されたフィラーを全体的に見ると、話者 1 を

---

3)「その」「あの」「もう」など概念性があるフィラーは、実例を確認しフィラーではない用法を除外した。

除いて、日本語学習者のフィラーには、発話意図に応じて適切に使用されていると見られるフィラーと、発話意図の読み取りが難しい、不自然なフィラーが混在していた。

　話者1はフィラーの産出頻度が少なめでありながら、5種類の多様なフィラーを用いていた。特に産出が多かった「あのー」「あの」の使用は意図の表明と効果的に結びついていた。定延他 (1995) は「あのー」のフィラー特性について「発言すべき内容を言葉で伝える」ための情報処理 (「言語形式制作」) に対応していると指摘している。また、「あのー」は、何を話すべきかがわかったうえで、それを言語化する過程に関与していると言われている (金田他, 2017)。これらを踏まえて質的にみると、話者1の「あのー」は話し手が、発言したいことがすでに頭にあるものの、それをどのように言葉にするか迷っている機能 (1)、聞き手との共通知識への問いかけ (2) (3)、何か言いにくいことがあるときの配慮 (4) などの機能があることが確認された。

(1)　<u>あの</u>、アフリカの地元のダンスは… (話者1)

(2)　<u>あの</u>クラブに行ったら、皆踊るんじゃないですか… (話者1)

(3)　<u>あのー</u>みんなのご存知の通り、アフリカ人はダンスが上手いですよね… (話者1)

(4)　<u>あの</u>、セクハラのレベルじゃなく… (話者1)

　(1) については、「あの」と「アフリカ」そして、「アフリカ」と「地元」の間に1秒程度空いていた。そこから「アフリカの地元のダンス」といった「地元」という言葉を探すために時間を稼いでいると考えられる。(2)(3) については、「あの」が確認要求の形式「～じゃないですか」「ですよね」と共起している例である。これは、共有知識への問いかけと考えられる。(3)(4) については、「セクハラ」といった言葉はデリケートな用語である。またこの際は非言語行動にも視線行動等の配慮がみられた。話者1のテーマは全体的に人種的、ジェンダー的な配慮が求められる話題である。これらから、言いにくさの配慮として「あのー」が多発したと見られる。

　話者3も話者1同様、フィラーの効果的な使用が多く見られた。話者3は「その」「もう」の使用が他の話者より相対的に高く確認された。フィラー「もう」の使用はOPI超級話者に特徴的な使用という報告があり (宮永・松田, 2014)、話者3の熟達度の高さが伺える。

(5) で、すぐその、店を出る、日本人の友達見て、大笑いしてた (話者 3)

(6) で、急にその、彼の顔の表情が変わっててー (話者 3)

(7) もう、みんなも、すごく、優しい友達で、よく遊びましたね (話者 3)

(8) もう急に、フランス人の友達が「これ食べてほしい」って (話者 3)

(9) もう「おいしいなあ」といいながら (笑) 2 人ともよく食べて (話者 3)

(5)(6) はいずれも副詞 (「すぐ」、「急に」) の直後に出現し、次の発話までのポーズがある。話者 3 からは「あのー」「えー」の使用が見られなかったことから、「その」の使用は「あのー」の代わりに、次の発話内容として何を話すべきかがわかったうえで、それを言語化する過程に関与しているフィラーと言える。

(7)(8) はフィラー「もう」の特徴的なものであると考えられる。小出 (2017) は、「もう」は話し手の発話時現在の感情、情動、心情を表し、話し手の独自の感情評価を持つと述べている。話者 3 にみたフィラー「もう」は感情性の高い発話のなかで語られる発話で現れると考えられる。(7)(8) について、小出 (2017) の指摘のように、話し手はフィラー「もう」を用いながら、「すごく、優しい」「急に」ということに対して、話し手の独自の感情評価を表していると考えられる。しかし、(9) のように、話者の心的態度ではなく、直接引用の前にある、やや不自然な「もう」の使用も確認された。

一方、話者 2 のフィラー使用は限定的であり、発話意図はあまり読み取れなかった。「えー」はほとんど文頭で現れ、間のつなぎやトピックシフトとして使用されていることがわかった。(10) はその例である。

(10) えーっと、私の友達の話です。えー、私の友達は高校生の時、え、男の子です。

(話者 2)

(10) の「えー」については、導入部の「私の友達の話です」の後に出現していることと、「私の友達の話です」と背景説明の「私の友達は高校生のとき」の間に、数秒間空いていることより、間つなぎになっていると考えられる。またこの際は話し手の視線は、ずっと聞き手に向けられていた。一方「え、男の子です」の「え」は特に発話意図が見つからなかった。恐らく説明漏れに気づき補足しようとして出た非流暢さだと考えられる。

話者 4 もフィラーの適切使用と不適切使用の両方が確認された。話者 4 はフィラーの生

起頻度が最も高く5秒に1回程度であった。また、「ま」を多用していることが確認された。「まあ」「ま」は発話行為緩和表現としての機能があると言われており (川田, 2010)、話者3においてもそうした用法が見られた。(11) の例は「まあ〜けど」型フィラー (川田, 2010) であり、前置きの「けど」と共起していることから、聞き手の知識などに配慮した緩和表現とみられる。しかし (11) にみられるように、一文中に「ま」が3回も出てきており、発話内容のまとまりを欠き、発話行為緩和機能が十分に機能していない場合も見られた。

(11) 中国の中の漢字は、日本語の中の漢字と全く意味が一緒の場合がかなりありますので。<u>ま</u>、中国人は、時々、<u>ま</u>、そのまま中国を使って。<u>ま</u>、に、日本語にすることが多いです<u>けど</u>も。(話者4)

3.2　言語的特徴 (談話標識)

話者1-4が使用した談話標識デ系、タラ系の出現状況を調査した結果を＜表4＞に示す。

＜表4＞　談話標識の使用頻度

談話標識	話者1	話者2	話者3	話者4
デ系	6	0	10	1
タラ系	5	0	4	1
合計	11	0	14	2

分析の結果、フィラー同様、話者1と話者3においては、談話を展開させるものとしてのデ系とタラ系が出現していた。話者2と話者4はデ系とタラ系をほとんど使用していなかった。特に話者2は、場面を展開させる際に、デ系やタラ系などが、一切使われていなかった。すべて、平叙文を用いて、場面を展開させていた。しかも、話の結末 (オチ) を導く表現としても使われていた。

デ系について見ると、話者1、話者3はデ系の使用頻度が高かった。質的に見ると、場面を展開させる機能として使われているものもあるが、誤用もみられた。

(12) みんなあつあつ。<u>で</u>、なんか。ちょっと白人も、結構居ましたから、ちょっと　ほ、ホットのダンスしてますね (話者1)

(13) お土産屋さんに入って、<u>でー</u>、みんな、まあ2人は別のお土産屋さんに入って、お菓子を口に入れたね。で、急にその彼の表情が変わって… (話者3)

　(12) において、デ系は「みんなあつあつ」という場面説明と「で、なんかちょっと<u>白人も、</u>
<u>結構居ましたから、ちょっとほ、ホットのダンスしていますね</u>」という出来事の描写の間に
出現していることから、視線を白人の様子にズームさせるように場面を展開させている。(13)
もお土産屋から別のお土産屋へと場面転換しているため、自然な使用である。

> (14) あのーアフリカの地元のダンスはお尻結構使いますね。<u>で</u>、そ、その特徴もクラ
>   ブのダンスに入っています (話者 1)
> (15) で、すぐその店を出る、日本語母語話者の友達みて、大笑いしてたね。<u>で</u>、なん
>   でそんなに笑っているのか?私も・・・わからなくて (話者 3)
> (16) 自分の研究室とか自分のゼミのために、なんか買って、<u>で</u>、ちょっ小さい皿で…
>
>   (話者 3)

　一方、(14) は談話の展開とは言えないが、「で」を使用している。ここでの「で」は不要
であろう。また (15)(16) も展開ではなく、感想や回想、内容補足を「で」でつないでおり
不自然な使用である。

　タラ系の使用についても、話者 1、3 には自然な使用と、不自然な使用が見られた。金田
他 (2017) は、タラ系はコントロール不能な事態・予想外な事態を後件として導く確定条件
の接続表現であると述べている。分析の結果、タラ系の使用はオチを導くだけでなく、話し
手の予想外な事態を表すとともに、聞き手の興味を惹きつける機能も果たしていることが確
認できた。例えば、(17)(18) のような例が見られた。

> (17) もうちょっと盛り上がっ<u>たら</u>、前にいる女の子が逆にして、2 人がこんな感じ
>
>   (話者 1)
> (18) たまには、アジア系の女の子が 1 人でダンスし<u>たら</u>、急に黒人の男が盛り上がっ
>   て… (話者 1)

　(17) では、タラ系は聞き手に興味を惹きつけるという機能を果たしていると考えられる。
動画を確認すると、話し手は (17) の後「<u>2 人でこんな感じ</u>」と実演してみせ、聞き手の笑
いを誘っていた。タラ系で興味を引き付け、その後話し手が"黒人"になりきってダンスをし
たことで話者が遭遇した「面白さ」が演出できている。これは日本語母語話者と同じ話法と

言える。

　(18) についても、タラ系は「急に黒人の男が盛り上がって」という予想外のことに結び付くために使われている。テキストを確認すると、「それはまあもう、黒人ですからまあかまわないんですけど。たまには、アジア系の女の子が 1 人でダンスしたら、急に黒人の男が盛り上がって。ちょっと後ろ、こっからなんか、アジア人は普通にこんな感じ。で後ろ知らないうちにいきなりこんな感じだったんですよ」という発話がある。「いきなり」「急に」のような語と共起していることから、予想外のことを指しているのではないかと考えられる。また、文末にある終助詞「よ」と共起していることによって、聞き手が知っているべき情報として示すという伝達態度を表す (日本語記述文法研究会編, 2003)。

　以下はタラ系の不自然な使用の例である。

　(19) でえ、彼がそう言ったら「やさしいなあ」と思って私もすぐ… (話者 3)

　(19) は前件によって引き起こされた行動ではなく、行動に対する評価を「たら」でつないでいた。こうした遭遇と関わらないタラ系の使用はいくつか見られた。

3.3　言語的特徴 (非流暢性)

　この節では非流暢性について報告する。非流暢性については延伸、途切れ、語頭戻りなども含まれるが (定延, 2016) ここでは観察が用意な語頭戻りの回数のみ計測した。

　<表 5 >から読み取れるように、話者 4 はほかの話者より、非流暢性の頻度が高いことが確認された。また、話者 2 は語頭戻りが 1 度しか観察されず、途切れや延伸等を観察しても、非流暢性はフィラー以外ほとんど観察されなかった。

<表 5 >　語頭戻りの頻度

	話者 1	話者 2	話者 3	話者 4
生起回数	6	1	8	33
時間間隔 (秒)	29.68	60	33.38	11.36

　(20) 中国人って、こういうふうに、なんか、あい、愛人を紹介するんですか。
　　　その、Aさんは、そうなんですよ。まあねえ、みんな豪快ですから、まー、こんな
　　　直接愛人を紹介する。(話者 4)

(21) ね、え、どんなすごいことがあったの。

　なんかいきなり自分の愛人を紹介したんです。いや、私の先生は、いや、あいつ
　愛人がいるのって言って。<u>ど、ど、ど、ど、ど</u>ういうふうに見る。(話者4)

　(20)(21) で、非流暢性が出現しているのが確認できる。(20) の「中国人って、こういうふ
うに、なんか、<u>あい</u>、愛人を紹介するんですか」という発話は、愛人と聞いたあと、周囲が
どもりがちな語りになり、次の「そうなんですよ」のようなオチの面白さを導いている。(21)
も同様に、「<u>ど、ど、ど、ど、ど</u>ういうふうに見る」という発話が、「いや、私の先生は、い
や、あいつ愛人がいるのって言って」の後に出現し、登場人物の当惑さを強烈に演出している。
これまで見たように、話者4は話者1、3と比べると、日本語のプロフィシェンシーはさほ
ど高くない。しかしこの話者4は金賞を受賞しており、聞き手の笑い声等の反応も大きい。
これは、話者4にみられる非流暢性 (語頭戻りの多発) が、聞き手の興味を惹きつけ、むし
ろ面白さの演出として効果をあげたと考えられる。

3.4　談話開始部と終結部

　4名の開始部と終結部の特徴を＜表6＞に示す。三枝 (2018) で分析された談話開始部と
終結部の特徴について分析したところ、第5回～第7回の受賞者9名に、発話冒頭部のフィ
ラー「あのー」は観察されなかった。三枝の結果同様、「んです」の使用も確認されなかった。
さらに、開始部の「んですけど」が見られたのは第6回受賞者の話者10のみであった。ま
た、「これは～の話です」という、話の時期・場所・出典・事実かフィクションかなどを端
的に伝える話者が目立った。一方終結部では比較的日本語母語話者と類似した終結部の傾向
が確認された。しかし、内容面を見ると、話者2のように、「お父さんは、彼にブルートゥー
スのスピーカーをあげました」と終結部に驚くべきオチを語って話し終わり、話の最後、ま
たは終わった後で笑いが起こるような受賞者が、1/3 程度見られた。

　日本語母語話者は通常話を山なりにしてオチ (話のピーク) を談話の終了より少し前に
持ってきて、少し落ち着いたところで「～という話です」というまとめを行うが、衝撃的な
オチを最後に「～でした」「～ました」とシンプルに語って終わる話者が複数見られた。そ
のため、話し終わりのあとに驚いたり笑ったりしている聞き手が確認された。こうした余韻
を出す話法は、日本語母語話者とは異なるユニークな話法といえる。

＜表 6 ＞　　開始部と終結部

	話者 1	話者 2	話者 3	話者 4
開始部	え、上海では一結構夜の生活を楽しんでいました	えーと、私の友達の話です	でー、この前、い、えーと私も含めてよ、4人の友達と一緒に	えーっと私は今日あのー、ちょっとしゃべりたいのはー
終結部	ま、そういう話です	お父さんは、彼にブルートゥースのスピーカーをあげました。(一同笑)…以上です	最後の 1 つ、おいしかったよ (笑)	こここういう風になるんだよてっていう、うん、ネタです (さらに続ける)

4. 非言語的特徴

　本節では、日本語学習者の語りにみられた視線、手振り、頭の動きのような非言語的特徴について取り上げる。

4.1　非言語的特徴 (視線)

　分析にあたり、視線をONとOFFの 2 つのモードに分けた。ONは、相手の目を見つめる視線の動きであるのに対して、OFFは、どこからに目をそらす視線の動きをさす。＜表 7 ＞は話者の視線行動の傾向を示している。

　金田他 (2017) では、日本語母語話者は出来事語りの際に、聞き手と目を合わさずに説明し、オチのところに近づくと、遭遇や反応の発話で聞き手と目を合わす傾向があると指摘している。分析の結果、日本語学習者は日本語母語話者同様、オチで視線がオンになり、出来事語りの時に視線がオフになる傾向が見られたが、オチ以外の出来事語りや背景説明などでも視線がオンになる傾向が見られた。

＜表 7 ＞　　話者の視線行動の傾向

		話者 1	話者 2	話者 3	話者 4
ON	相手に確認を要求している時		1	1	1
	言葉がわからない時、相手に助けてもらいたい時	1		1	
	オチを導く時とオチを語る時	1	1	1	1
	出来事語りの時	1	1	1	1
	背景説明の時	1	1	1	1
	聞き手に重要な部分を主張したい時		1		1

		1			
	同意要求の時	1			
	体験に対しての感想を述べる時	1			1
	遭遇や反応の発話をする時	1			1
OFF	背景説明の時	1	1	1	1
	出来事語りの時、説明する時	1	1	1	1
	何かを考えているまたは適切な表現を探す時	1	1	1	1
	回想する時	1		1	1

　高木 (2005) によると、視線は、チャンネル開放シグナルで、自分が相手に対して情報のチャンネルを開いていることを知らせる信号の機能であると述べている。このことから、「面白い話」を語るときは、高木 (2005) が提唱したように、相手に注目してほしい時に限らず、話し手の語りは、新しい情報として捉え、相手に対してそのチャンネルを開いていることを知らせる機能があると考えられる。

　また、高木 (2005) は視線の機能は 5 つあると述べている。そのうち、日本語学習者に最も当てはまるのは、相手からの反応フィードバックを得るために相手の目をみることである。もう 1 つは、相手が自分に注目してほしいか否かの意志を示す機能である。日本語学習者の視線がオンになりがちなのは、自分の「面白い話」に対して、相手が本当に興味を持っているかどうか、または伝達内容がちゃんと理解しているのかという不安な気持ちを避けるために、視線が大きな役割を遂行していると予想される。こうした視線行動には L2 学習者の普遍性が予想されるが、このことを確認するためには母語による面白い話の語りと比較する必要がある。

4.2　非言語的特徴 (手振り)

　金田他 (2017) では、日本語母語話者は話のオチの近辺で身振りの出現が最も頻繁になると述べている。しかし、本研究の調査の結果、日本語学習者は話者 4 を除いて話し始めから終わるまで、身振り (手振りと頭の動き) を積極的に使用していた [4]。例えば、話者 1-4 の特徴的な手振りの例を＜表 8 ＞に示す。

---

4) 話者 4 については、机の下で何か手が動いている様子が時折確認できるが、動画からは十分に確認できなかった。

<表8> 話...

手振り		解釈
両手で胸を指す (話者 1)		自分の意見を強く示す
手を口の前に振る (話者 3)		動作を真似している (例:「入れる」「あげる」等の動作と同時に使う)

注文カード

貴店名

部

発売 ㈱凡人社
東京都千代田区平河町1-3-13
TEL03(3263)3959

注文部数

日本語プロフィシェンシー研究 第8号

編集・発行 日本語プロフィシェンシー研究学会

ISBN978-4-89358-977-4 C3081 ¥2000E

定価 本体2,000円＋税

注文 月 日

（2,000円（本体価格）

9784893589774

　話者 1 は自分の意見を強く示す時に……手は「アフリカ人のダンス」に対して、「アジア人の私からみ……ななんかみっともないですよ」のような自分の意見／感想を……用している。話者 3 は特定の動作を真似している時に、様々な……としては、「はい、ありがとう、なんか感謝しながら、口に<u>入れた</u>ん……」の中から「入れた」という動詞を発話しながら、手は口の前に振ることが確認された。

　瀬戸 (2000) では、ジェスチャーには言語理解を促すための内容補完機能があること、バイリンガルが第 2 言語での言語能力の欠如を補うためにジェスチャーを多用することが報告されている。また、日本語で話される際のジェスチャーは母語に関わらず控えめであることも明らかになっている (瀬戸前掲)。話者 1~3 のジェスチャーの多用はそうした言語能力欠如の補完と解釈できるが、同時に「面白い話」という条件で日本語のジェスチャールールが解除された可能性も考えられる。その一方、オチの部分のメリハリのないジェスチャーが話の盛り上がりにマイナスの影響を与えている可能性も考えられる。また話者 4 のジェスチャーの非用は日本語のジェスチャールールの適用の可能性も考えられるが、これらについては母語での同一内容の語りとの比較が必要であろう。

4.3　非言語的特徴 (頭の動き)

　話者 1-4 の頭の動きを調査した結果、頭の動きはほとんど共通していた。頷きは基本的に話の終結と同意要求という機能を持っていると考えられる。量的にみると、話者 2 以外、頷きは活性化していた。使用頻度を＜表 9 ＞に示す。話者 2 は頷きが 1 回しか見られなかったが、60 秒の短い語りであったことと、「以上です」と発話し、頷きながら、話を終わらせており、他の話者同様、終結としての頷きが見られた。

＜表 9 ＞　話者 1-4 の頷きの数

	話者 1	話者 2	話者 3	話者 4
生起回数	3	1	5	20

　また、同意要求としての頷きも多く見られた。根拠としてあげられるのは、話者 4 は「でも、なんか、あ、ずっとしゃべらないと、きま、気まずいんでしょうねえ」という発話と同時に、相手に視線をむけながら頷いている。ここで、話し手は、愛人を紹介した登場人物に対する周りの空気が気まずくなったことを、聞き手に共有してもらおうとしていると考えられる。また、言語形式を観察すると、モダリティ「でしょう」+終助詞「ね」と共起していることから、確認要求という機能を果たしていると考えられる。頷きの例を、以下の＜表 10＞に示す。

＜表 10 ＞　特徴的な頭の動き

頭の動き	画像	解釈
頷き		終結部で、全員の爆笑に応じるように、小刻みに頷く (話者 2)
		終結部での小刻みな頷き (話者 4)
		同意要求 (話者 4)

4.4　直接話法時のキャラ変換

　話者 1-4 をみると、金田 (2018) のいう誇張したキャラは出現していないが、直接話法時

や状況描写でのなりきり演技は話者1、2、4から観察された。以下の＜図1＞に示す。

話者4の直接引用 「そ、そうですよ」	話者2の直接引用 「私のパソコン、え、壊れちゃったの？」	話者1の演技

＜図1＞　直接話法時や状況描写でのなりきり演技

　　話者4はAさんという先生の友達として演技し、問いかけに対し、その女性がAさんの愛人であることを認める発言を直接引用している。「そ、そうなんですよ」の発話を発するとき、誇張したキャラ変換は認められなかったが、声の調子の変換が確認された。話者2においても、直接引用の際、誇張したキャラ変換がなかったが、音声が聞こえない様子をなりきって演技していた。話者1も座って話していたが、状況描写で黒人のダンスの様子を説明する際には立ち上がり、なりきって踊っていた。

5.　考察

　　先行研究と本調査の結果を比較すると、日本語母語話者と非母語話者は、以下のような共通点と相違点があることがわかった。

＜表11＞　日本語母語話者と日本語学習者の比較

	日本語母語話者	日本語学習者
フィラー	フィラーが話の最初に多く表れ、オチに近づくと使用が減っている	フィラーが話の最初から最後まで現れ、オチにおいても使用されるため、メリハリがない。話者ごとのバリエーションが大きい
談話標識	デ系は場面の展開をさせる。タラ系は、オチを含む遭遇の発話に出現する	日本語母語話者と同様に使われることもあるが、不使用、誤用も見られる
直接引用	誇張したキャラの出現	誇張したキャラの非出現(なりきり演技)
非言語的特徴	1.　出来事語りの際に、聞き手に目を合わさずに説明する 2.　オチのところに近づくと聞き手に目を合わす 3.　話のオチの近辺でジェスチャーが活性化	1,　話し手は出来事語りの際であれ、オチであれ、視線がONになりがち 2.　初めから終わりまで、ジェスチャーが頻繁に使われる

　言語形式の面からみると、日本語母語話者の使用との類似点と異なりがいくつか認められた。談話標識の使用において、話者1と3は、オチを導く、または、聞き手の興味を惹きつけるためのタラ系使用が確認された。それに対して、2と4からはそうした使用は確認できなかった。そして、談話標識デ系の使用においても、1と3は用いているが、2と4は用いていなかった。また、非流暢性の高い話者4は展開もオチもすべてにおいて非流暢であった。開始部と終結部において、終結部においては類似性が認められたが、開始部についてはあまり類似性が認められなかった。

　日本語母語話者と類似した言語使用をしていることが話の面白さに寄与している点、そうでないことが面白さを阻害している点が認められたが、聞き手の笑いの大きさ等を見ると、必ずしも言語面で母語話者との類似性が高いことだけが面白さに寄与していないようである。非流暢性が面白さの演出に寄与しているケース（話者4）、素朴な談話形式が聞き手の想像をかきたてて笑いを呼び込んでいるケース（話者2）などが該当する。

　非言語的特徴を見ると、視線については常時ONになりがちで、そのことは文化的な影響か、学習者の言語理解面での不安から来る可能性を指摘した。ジェスチャーについてはオチに限らず、話しはじめから、終わりまで手振り・頭の動きも積極的に使用していた。本調査でみた、日本語学習者の身体動作は、言語能力欠如の補完機能もあると見られるが、多くのジェスチャーが他者または、自身の動作の振る舞いの模写であった。鎌田（2018）が指摘したように、身体動作があるからこそ、「面白さ」を向上させ、出来事をよりイメージしやすくなっている。そのため、身体性の表現の大きさは、日本語の語りの枠から積極的に「はみ出した」、日本語学習者特有の話芸と考えられる。

　日本語学習者の面白い話が日本人と比べて、むしろ面白さの演出としてすぐれている点を<表12>にまとめる。

＜表 12 ＞　日本語学習者の話の面白さ

項目	面白さに (+) ?
過度なつっかえ、語頭戻り	当惑さの演出、オチへの期待
多様なフィラー使用	個性やキャラクタの表出
開始部・終結部の「お約束」がない	意外性がある
単純なオチ語り	聞き手にオチを考えさせ、余韻を味合わせる
常時ジェスチャー・常時視線 ON	聞き手への興味を引き続ける
身体性を駆使したオーバージェスチャー（なりきり演技）	ダイナミックな演出

6. まとめと今後の課題

　本研究では、学習者と母語話者の面白い話を比較することを通して、「面白い話」の語りに見られる学習者の言語・非言語行動の多様性と普遍性について検討を行った。学習者間からみた個人差は言語・非言語行動の多様性として考えられるが、いくつかの頭の動き、視線、身体動作には、普遍性があると思われる。

　また、日本語学習者の面白い話は、上級話者であっても言語面で見ると日本語母語話者との語りとの異なりが確認された。しかし、それを日本語として劣っているのではなく、日本人と比べて、話法の自由度が高くむしろ面白さの演出として効果的であると本論では主張したい。聞き手の笑い声の大きさ、反応の強さは演出の効果を支持していると思われる。

　本研究では4名の面白い語りの分析から日本語学習者の語りの特徴と可能性について指摘した論文である。今後この指摘に学術的な説得力をもたせるためにはさらに検討すべき課題がある。特に重要な課題は、日本語学習者の評価の低かった面白い話と比較することである。また、同じ内容の語りを、母語で母語話者対象に話しているものと比較することも重要である。さらに、日本語母語話者の面白い話と比較する必要性もある。これらは今後の課題としたい。

参考文献

金田純平・波多野博顕・乙武香里 (2018). 「笑い話における言語・非言語行動の特徴 ―関西の一般人と関西芸能人の比較から―」定延利之 (編),『限界芸術「面白い話」による音声言語・オラリティの研究』130-145. ひつじ書房.

金田純平 (2018). 「直接引用とキャラ」定延利之 (編),『「キャラ」概念の広がりと深まりに向けて』180-195. 三省堂.

鎌田修 (2018). 「プロフィシェシーからみたおもしろい話」定延利之 (編)『限界芸術「面白い話」による音声言語・オラリティの研究』452-447. ひつじ書房.

川田拓也 (2010).『日本語フィラーの音声形式とその特徴について―聞き手とのインタラクションの程度を指標として―』(京都大学大学院文学研究科行動文化学専攻博士論文).

小出慶一 (2017). 「「もう」はどのようにフィラーになったか ―フィラー化の経路とフィラーの機能―」『さいたま言語研究』1, 1-11. さいたま言語研究会.

三枝令子 (2018). 「「わたしのちょっと面白い話」から見た話し始めと話し終わり」定延利之 (編),『限界芸術「面

白い話」による音声言語・オラリティの研究』330-339. ひつじ書房.

櫻井直子・ダヴィッド=ドゥコーマン・岩本和子・林良子・楯岡求美 (2018). 「エスニック・ジョークと倫理」定延利
之 (編), 『限界芸術「面白い話」による音声言語・オラリティの研究』350-451. ひつじ書房.

定延利之 (2016). 『コミュニケーションの言語的接近』ひつじ書房.

瀬戸千尋 (2000). 「ジェスチャーの使用頻度に関する実証的研究:言語の潜在的影響」『異文化コミュニケーショ
ン研究』12, 65-77. 神田外語大学.

髙木幸子 (2005). 「コミュニケーションにおける表情および身体動作の役割」『早稲田大学大学院文学研究科紀
要』112 (27), 25-36. 早稲田大学大学院文学研究科.

堤良一 (2019). 「個人差とキャラクタのプロフィシェンシー」『第一回日本語プロフィシェンシー国際シンポジ
ウム予稿集』(http://dalian2019.proficiency.jp/wp-content/uploads/2020/01/panel_2_1_tsutsumi.pdf)

日本語記述文法研究会 (編)(2003). 『現代日本語文法4 第8部 モダリティ』くろしお出版.

前川喜久雄 (2004). 「『日本語話し言葉コーパス』の概要」『日本語科学』15, 111-133. 国立国立研究所.

宮永愛子・松田真希子 (2014). 「聞き手配慮要素からみた超級日本語話者の発話の特徴」『日本語/日本語教育研
究』5, 107-123. 日本語・日本語教育研究会.

山根智恵 (2002). 『日本語の談話におけるフィラー』日本語研究叢書 15. くろしお出版.

Iwasaki, N., & Kumagai, Y. (2020). Reconceptualizing Connections between Language, Literacy and
Learning (Educational Linguistics). Bagga-Gupta et. al (Eds.), *"Making It Your Own by Adapting It
to What's Important to You": Plurilingual Critical Literacies to Promote L2 Japanese Users' Sense of
Ownership of Japanese,* 165-186. Switzerland, AG: Springer.

付記

　本論文は「日本語プロフィシェンシー研究学会・日本語音声コミュニケーション学会 第 2 回合同大会」(2019
年 10 月 5 日、京都大学) において発表したものを加筆・修正したものです。本論文の執筆にあたり、岡山大学
の堤良一先生、金沢大学の大江元貴先生に貴重な助言を賜りました。心より御礼申し上げます。

自立性が無い日本語「接ぎ穂発話」の意味ー語用論

定延利之 (京都大学)

要旨

　現代日本語共通語社会には、冒頭部に自立性が無く、それだけに、先行発話への依存が目立つ発話がある。本稿ではこの発話を「接ぎ穂発話」と呼んで紹介し、接ぎ穂発話のうち特に、発話の冒頭部だけでなく末尾に至るまで自立性が無いものについて、意味論・語用論的な観点から基本的な観察をおこなう。結果として明らかになるのは、この種の発話が、交感的な発話や引用発話を除けば、文脈のサポートだけでなく、権力もしくはきもちのサポートをも必要としているということである。これはそれらの発話が、いわゆる文の発話ではないことを示している。

キーワード：接ぎ穂発話、文脈、きもち、権力、文

A Semantics/Pragmatics of Japanese "Grafted Utterance"

without Free Words

Toshiyuki SADANOBU (Kyoto University)

Abstract

　　In contemporary standard Japanese, utterances may be grafted on to preceding utterances as "scions". This paper will conduct a basic observation of such scion utterances that lack free words, from a semantic/pragmatic point of view. As a result, it will be shown that this type of utterance, with the exception of phatic and quotative utterances, requires not only contextual but also influential or expressive support. This indicates that these scions are not so-called sentences.

Keywords: grafted utterance, context, influence, expressiveness, sentence

1.　はじめに

　現代日本語共通語社会には、冒頭部が自立性に乏しく、それだけに、先行文脈への依存が目立つ発話がある。本稿はそれを「接ぎ穂発話」と呼んで紹介し (第 2 節)、接ぎ穂発話の中でも特に、冒頭部だけでなく発話末尾に至るまで自立性が欠如しているものを対象として、意味論・語用論的な観点から基本的な観察をおこない (第 3 節・第 4 節)、それらが「いわゆる文」と言えるかどうかについて、考えられることを述べる (第 5 節)。

2.　自立語を持たない接ぎ穂発話とは？

　「接ぎ穂」(つぎほ) とは、接ぎ木をおこなう際に、土台となる台木 (だいぎ) に接ぐ木を指す語である (図 1 参照)。

＜図 1 ＞　接ぎ穂
［小学館『デジタル大辞泉』https://kotobank.jp/word/接穂-571226，2019 年 12 月 18 日］

　台木が地面に根を下ろして自力で立っているのに対して、接ぎ穂は自立しておらず、台木の途中に差し込まれ、そこから伸びている。

　本稿では、この「接ぎ穂」という語を発話に対して比喩的に用いることにし、現代日本語共通語の発話の一種を「接ぎ穂発話」と呼ぶ。接ぎ穂発話とは、発話冒頭部に自立性が無く、それだけに、先行文脈への依存が目立つ発話である [1]。

　以下、現代日本語共通語のコミュニケーションの中で見られる接ぎ穂発話を、例を挙げて紹介する。まず、次の (1) を見られたい。

---

1) ここで述べているのは、接ぎ穂発話は先行文脈への依存ぶりが「目立つ」ということに尽きる。「先行文脈への依存」自体は、一部の発話の特質というよりは、発話全般に本来的に見られるものだろう。

(1) A：あでも教務行ってー「409のカギ」って言ったらー

　　B：うん

　　A：観れんの普通に？

　　B：［空気すすり］　<u>と思うけどな</u>

＜写真1＞　対話相手Aの質問に「と思うけどな」と答える話者B

　［ビデオ公開先：http://www.speech-data.jp/sadanobu_book/tsugiho/］

この例は、学生どうしの対話から採ったものである[2]。ここでは、「教務係の窓口に行って『409教室のカギを貸してほしい』と言えば、特に問題もなくカギを貸してもらえ、教室内のビデオを観ることができるのか？」という趣旨のAからの質問に対して、Bは一瞬目を逸らし、顔をしかめて空気をすすって考えた後、視線をAに戻して「と思うけどな」と述べている（(1)下線部，写真1）。話者Bの最後の発話「と思うけどな」の冒頭にある「と」は、自立語ではなく、自立語に後接する形で現れるはずの付属語（引用の助詞）である。それだけに、この発話は、先行するAの発話（台木発話）への依存が目立つ。

　接ぎ穂発話の「台木」となる先行発話は、他者の発話とは限らない。次の (2) では、自己の発話が「台木」になっている。

(2) C：……そっから私の、ジェスチャーへの興味は、あってんな　［約3秒の間］<u>とかぁ</u>、最近そのフォリナートークの論文を読めば読むほどー、……

＜写真2＞　自身の文発話の後に「とかぁ」で次発話を続ける話者C（向かって左側）

　［ビデオ公開先：http://www.speech-data.jp/sadanobu_book/tsugiho/］

---

2) 対話の収録は 2001 年に神戸大学でおこなわれた。対話する 2 人はともに当時 20 歳代の現代日本語母語話者で、収録は「課題は無し。話題は自由。黙っていても可」という形でおこなわれた。本稿執筆時点で収録時から約 20 年の歳月が流れていることになるが、本稿が取り上げる現象（接ぎ穂発話）に関する限り、この時差は小さなものと判断している。また、2 人の発話には若干の関西の方言色が感じられるが、本稿が射程とする「共通語」（最広義）、すなわち「特定の地域を連想させるようなアクセントやイントネーション（つまり「方言的なもの」）が用いられていても、それで会話が成立していれば、共通語に含まれます」（塩田 2018, 9）と言われるものの範囲には含まれていると判断している。以上の諸点は次の例 (2) 以降にも当てはまる。

この例では、話者Cが「ジェスチャーに対する自分の興味は、その段階からあったのだ」という趣旨の発話をおこない、約3秒の沈黙の後、口を開こうとする対話相手Dより先に、並列助詞「とか」から始まる並列的な発話をおこなっている ((2) 下線部，写真2)。少なくとも伝統文法では「とか」は自立語 (接続詞) としては認められておらず、自立語に後接して現れるはずの付属語 (並列助詞) である。それだけにこの発話は、先行する自己の発話 (「そっから私の~あってんな」) への依存が目立って見える。

　先行する自己の発話への依存が目立つという点では、会話分析的な研究で取り上げられている、次の (3) の最終発話も同様である。

(3) 　E：6時半やったやんなぁ

　　　F：うん

　　　E：<u>にーたどり着いてなかったらー</u>

　　　　　　　　　［Hayashi (2004, 351) の例 (4) の一部。下線は定延。簡略化、表記変更も］

ここでFと電話で対話しているEの発話「にーたどり着いてなかったらー」(下線部) の冒頭の「に」は、自立語ではなく、付属語 (助詞) である。この発話は、先行する自己の発話「6時半やったやんなぁ」(6時半だったよなぁ) への依存が目立つ接ぎ穂発話ということになる。

　以上では、先行する相手の発話への依存が目立つ例 ((1))、先行する自己の発話への依存が目立つ例 ((2)(3)) を見たが、依存先は発話とは限らない。接ぎ穂発話を「先行発話への依存が目立つ」とせず、「先行文脈への依存が目立つ」という形で定義しているのは、そのためである。依存先が発話と考えにくい例として、作例であるが (4) を挙げておく。

(4) 　［自説の誤りを示す証拠が目の前に現れたが、なおも虚勢を張って］

　　　<u>だろうねぇ</u>。わかってたよ。

この発話 (下線部) は、「だろう」という付属語 (助動詞) で始まっている接ぎ穂発話である。だが、先行する発話が無いので、依存先は先行発話ではなく、［自説の誤謬性が明らかになった］という先行文脈と考えざるを得ない。(なお、後々の読者の理解を助けるために付記しておくと、この発話は冒頭部「だろう」だけでなく助詞「ねぇ」も付属語で、自立性の欠如が発話全体に及んでいる。)

　先行文脈への依存を本稿で「接ぎ穂」と言い、「寄り添う」などと言わないのは、「寄り添う」という語の持つ同調的なニュアンスが誤解を生みかねないと判断しているからである。接ぎ穂発話の中には、次の (5) のように、先行発話に対して多かれ少なかれ懐疑的あるいは否定的な態度を漏らす発話もある。

(5) G： で、うちはウロコインコって、ちょっと一回りおっ
　　　　きくって
　　H： ふーん、ウロコインコっていうの
　　I： 二回りくらいおっきくなかった？
　　G： <u>かなぁ</u>　で、ま、掃除機……

＜写真3＞　聞き手 I の発話内容に首をかしげて「かなぁ」と言う話者 G
　　　　　　［「私のちょっと面白い話」2012 年度作品 25 番，7 秒~10 秒あたり，
　　　　　　ビデオ公開先：http://www.speech-data.jp/chotto/2012/2012025.html］

　ここでは話者 G が、自身が飼っているウロコインコに起きた、ある「事件」を聞き手 H と I に披露するべく、その前提として、ウロコインコの体格を語っている。インコの大きさを (セキセイインコよりも) 一回り大きいと形容したところ、そのインコを見たことがある聞き手 I から、「二回りくらい」ではなかったかと言われた G は、首をかしげて考えるそぶりを見せつつ、「かなぁ」と言っている ((5) 下線部，写真3)。この「かなぁ」は、「か」という付属語 (助詞) で始まる接ぎ穂発話である。この発話は I の先行発話に少なくとも即時に賛意を示すものではないという点において、同調しておらず、「寄り添う」ものではない。(ちなみに、この「か」に続く「なぁ」も付属語 (助詞) であり、自立性の欠如が「かなぁ」という接ぎ穂発話の全体に行き渡っていることになる。)
　接ぎ穂発話が「寄り添い」とは限らないことを、より明瞭に示す例として (6) を挙げる。

(6)　［「先方の要求はけしからん」と怒る相手をとりなして］　<u>ではありましょうが、こ
　　こはひとつ、穏便に済ませていただけませんでしょうか。</u>

　例 (6) の発話 (下線部) は、丁寧の助動詞「ます」「でしょう」や謙譲の補助動詞「いただく」が現れているように、対話相手にあくまで丁重に応対しようとする発話ではある。だが、そ

の内容は「寄り添い」とは程遠く[3]、先方の要求に憤らずに穏便に済ませてほしいと、対話相手の態度の改変を願い出るものである。相手の発話を「じゃなくて―…」と訂正しにかかる発話など、さらに考えられるだろう。(類例を後に (14) として挙げる。)

　接ぎ穂発話の紹介は以上である。自立性の欠如という観点から接ぎ穂発話に着目する本稿は、次の第 3 節以降、接ぎ穂発話の中でも特に、冒頭部だけでなく発話末尾に至るまで自立語が無いもの (例 (4) の「だろうねぇ」、例 (5) の「かなぁ」など) を対象として、意味論・語用論的観点から基本的な観察をおこなう。

3. サポートの必要性

　自立語を持たない接ぎ穂発話には、若干の先行研究がある。「だね」「だよね」などの接ぎ穂発話を取り上げて、冒頭の「だ」の品詞を論じた劉 (2010b) は、この「だ」が伝統文法で言われる助動詞の特徴「独立して一文の文頭に用いられない」「独立せず、常に他の語に伴って現れる」を持たないことを根拠に、助動詞ではなく別の自立的な品詞 (「形式動詞」) の語としている[4]。このように劉 (同) は、問題の接ぎ穂発話を、統語論的に自立性を持つ発話、つまり本稿で言う「接ぎ穂発話」ではないものと捉え、自立的な「だ」の品詞を模索している。だが、第 2 節で述べたことからも察せられるだろうが、本稿は劉 (同) とは違って、これらの発話に統語論的な自立性を認めず、「だ」の品詞は伝統文法どおり (具体的には寺村 (1982) などで言われる「判定詞」。但し「助動詞」「判定詞」の違いは本稿では論じない) としておく。

　本稿が「だ」に自立的な品詞を当てはめない、その根拠は、問題の接ぎ穂発話が自然であるために「サポート」を必要としているということである。より具体的に言えば、劉 (2010b) が取り上げている接ぎ穂発話は、文脈ときもちのサポートを要している。

　ここで「文脈のサポート」というのは、接ぎ穂発話の定義を言うに等しい。すなわち、問題の接ぎ穂発話は先行文脈を台木として、それへの接ぎ穂、つまり依存という形ではじめて成立するということである。

　また、ここで「きもちのサポート」というのは、問題の接ぎ穂発話 (たとえば「だよね」) に、

---

3) もっとも、相手と共在し、会話が成立しているという点からすれば、このような場合にも最低限の「寄り添い」を認めることは可能かもしれない。だが本稿では、「寄り添い」という語が日常語「寄り添い」から離れてわかりにくくなることを恐れ、敢えて認めずにおきたい。
4) 但し、例 (4) などの「だろう」は「助動詞」(劉 2010b, 95) とされている。

きもち[5]の発露と思える要素 (終助詞「よ」「ね」) が現れていることに関係している。これらの要素を除いた接ぎ穂発話は (「だ」)、「きもち欠乏症」とでも言うべき不自然さを見せる (定延 2014, 2019)。このことを示すために、日本語を母語とする関西の大学生 44 名を対象としたアンケート調査 (2019 年 5 月 14 日実施) の結果を以下に挙げる。各々の発話の後には、自然と判断した話者の数 (左側)、不自然と判断した話者の数 (右側) を、スラッシュ (「/」) で区切って示す。

　「だ」「です」「か」で始まる接ぎ穂発話の結果は、次の (7) (8) (9) のとおりである。

(7)　[「あの人って、話、長くない？」と訊かれて]

　　a.　だ　　　　1 / 43
　　b.　だな。　　43 / 1
　　c.　だね。　　42 / 2
　　d.　だよな。　43 / 1
　　e.　だよね。　44 / 0

(8)　[「あの人って、話、長くない？」と訊かれて]

　　a.　です。　　2 / 42
　　b.　ですねぇ。42 / 2

(9)　[「あの人って、話、長くない？」と訊かれて]

　　a.　か。　　　2 / 42
　　b.　かなぁ。　41 / 3

「あの人って、話、長くない？」と訊かれて答えるような、文脈のサポートがある状況でも、終助詞の無い (7a)「だ」・(8a)「です」・(9a)「か」は不自然と判断されがちである (「不自然」が順に 43 名・42 名・42 名)。他方、同じ状況で終助詞が後接する (7b)「だな」・(7c)「だね」・

---

5) 読者の理解を助けるために、定延 (2019) で述べたことを、ここでも繰り返しておきたい：「きもち」という、およそ科学的な響きの無い和語を、読者はあやしく感じられたかもしれない。このあとに挙げる実例を見ていただければ、日本語母語話者なら「ああ、そういうことか」と、すぐに思い当たってもらえると思うが、この「きもち」の実体を突き詰め、これが心理学で言う「感情」や「情動」、音声科学で言う「感情音声」の「感情」や「態度」、文法研究で言う「ムード」や「陳述」、語用論で言う「表出性」とどう重なり、どうずれるのかを見極めるのは容易なことではない。それを今後の課題として棚上げし、従来の諸概念ととりあえず区別しておくために「きもち」と呼んでいる。(せめて名前だけでも平易なものにしておきたい。) [定延 2019, 第 2 章]

(7d)「だよな」・(7e)「だよね」・(8b)「ですねぇ」・(9b)「かなぁ」は、自然と判断されがちである（「自然」が順に 43 名・42 名・43 名・44 名・42 名・41 名)⁶⁾。

但し、注意すべきは、必要なのは終助詞の有無それ自体ではなく、あくまで「きもち」の現れ如何だということである。そのことを示す例を (10) (11) に挙げる。

(10)　［自説の誤りを示す証拠を目の前にして，なおも虚勢を張って］
　　　a.［下降調で］だろう。わかってたよ。　　20 / 24
　　　b. だろうねぇ。わかってたよ。　　　　　41 / 3
　　　c.［上昇調で］だろう？　わかってたよ。 30 / 14

(11)　a.［自称予言者の発言「みんな逃げろ。火星人が襲ってくるぞ」を聞いた信者が、
　　　　傍らの仲間 (やはり信者) に、急かすようにささやく］
　　　だと。　　19 / 25
　　　b.［自称予言者の発言「みんな逃げろ。火星人が襲ってくるぞ」を聞いた非信者が、
　　　　侮蔑も露わにせせら笑って、傍らの仲間 (やはり非信者) にささやく］
　　　だと。　　41 / 3
　　　　［(10) (11) の音声の公開先：http://www.speech-data.jp/sadanobu_book/tsugiho/］

例 (10) の状況では、終助詞の無い「だろう」発話を「自然」と判断する話者はさほど多くないが ((a) 20 名)、これに終助詞「ねぇ」が後接すると大多数に至る ((b) 41 名)。ここまでは (7) (8) (9) と同じだが、終助詞と同じ効果は、相手に問いかけるようなきもちが現れる上昇調イントネーションでも、少なくともある程度は果たせると見るべきだろう ((c) 30 名)。例 (11) でも、侮蔑のきもちを露わにすることが、終助詞の無い接ぎ穂発話「だと」の自然さを高める効果を持つことが見てとれる ((a) 19 名、(b) 41 名)。

　以上のように、劉 (2010b, 95 注 9) が「談話において「だ」が裸の形で用いられない」(つまり終助詞の後接を必須とする) と観察していた現象は、実は「だ」に限らず「か」や「だろう」にも (さらに他の語句にも—— 定延 (2014; 2019) を参照) 当てはまり、終助詞の後接だけで

---

6) 念のため付言しておけば、ここで述べている接ぎ穂発話の自然さは、先行発話によって変わり得る。たとえば (8a) の接ぎ穂発話「です」は、「あの人って、話、長いですよね？」と訊かれた場合は、より自然になる。この「〜ですよね？」のように、先行発話が純粋な問いかけというより追認要求的なもので、先行研究の末尾の一部 (「ですよね」の「です」) をそのままなぞれば返答になり得る場合、きもちのサポートの必要性は低いというのが筆者の考えである。

なくイントネーションでも多かれ少なかれ代替できる、より一般的な現象 (きもちのサポート) と考えられる。

　そして重要なことは、文脈のサポートにせよ、きもちのサポートにせよ、こうしたサポートは、発話が何らかの (軽度の[7]) 不全を起こしている場合にのみ要請される、ということである (詳細は定延 (2019) を参照)。読者の理解を助けるために、本稿で記述対象としていない別種の発話の例として、名詞一語の発話を挙げておこう。

　名詞一語発話は、「いわゆる文の形式を備えていない」という点で (軽度の) 統語的な不全を起こしており、そのため、何らかのサポートなしには不自然である。次の例 (12a,b) を見られたい。

(12)　a.［レストランで客が店員に注文を告げる］　ビール。

　　　b.［レストランで店員がビールをテーブルに置きながら客に］　ビール。

レストランで客が店員に注文を告げる際の一語発話「ビール」((a)) と比べると、ビールを持ってきた店員がテーブルにビールを置きながら客に (「ビールです」ではなく)「ビール」と告げる発話((b)) は、より失礼な印象を生みがちである[8]。2つの発話の違いは、「客は上位、店員は下位」という、客と店員の間に厳然とある権力的な違いである。ここでは、本来的には不自然な一語発話「ビール」が、権力のサポートを得るか ((a))、得ないか ((b)) によって、自然さを変えている。(なお、本稿では不自然さ・失礼さを特に文頭の記号で表さない。)

　権力のサポートだけでなく、会話のサポートも、名詞一語発話の本来的な不自然さをカバーし得る。次の (12c) を見られたい。

(12)　c.［「レストランでビールを飲んだよ」という上司の話を聞いて］　ビール。

レストランでビールを飲んだという上司の話を受け、大した感慨もなくただ「ビール」となぞる場合のように、上司の先行文脈を受ける第2発話としてなら、名詞一語発話「ビール」

---

7) サポートによってカバーし得るのは軽度の不全に限られ、重度の不全はカバーできない。

8)「その店は気安い店である」「その客は馴染みの客である」などの状況設定は、失礼さを緩和するので、店員の「ビール」発話 (b) はこれらの状況の下では違和感無く響くかもしれない。だが、だからといって、店員の「ビール」発話 (b) の本来的な失礼さを否定することはできないだろう。

は何ら不遜ではなく自然である。

　きもちのサポートも、細かな違いはあるものの同様である。次の (12d,e) を見られたい。

(12)　d.［レストランで店員が客の注文を確認する］　ビール？
　　　e.［入院中の上司が、病室にビールを持ち込んでいるのに驚き］　ビール！

名詞一語発話の本来的な不自然さをカバーするには、きもちのサポートは少々では足りず、客の注文を確認する店員の問いかけの「ビール？」は ((d))、やはり不遜の響きを持つ。だが、たとえば入院中の上司を見舞ったところ、上司が病室にビールを持ち込んでいるのを見つけて驚きのあまりという場合のように ((e))、思わず叫ぶ (つまりコミュニケーションの中での独り言) という段階にまで至れば、名詞一語発話の本来的な不自然さはきもちのサポートでカバーし得る。

　以上で示したように、「いわゆる「文」の形式を備えていない」という点で統語的に軽度の不全を起こしている名詞一語発話が自然なのは、権力のサポートか ((12a))、文脈のサポートか ((12c))、きもちのサポート ((12e)) を得ている場合のみである[9]。いずれのサポートも得られなければ、つまり下位者が上位者に向かって、いきなり、特に何のきもちの発露も伴わずに、名詞一語発話をおこなうことは不自然で ((12b))、これをおこなえば、上位者の発話 (権力のサポートを得ている発話) のような不遜さを感じさせる。

　さて、問題の接ぎ穂発話に戻ろう。先に見たように、問題の接ぎ穂発話は、文脈ときもちのサポートを要している。サポートを要しているのは、これが「自立語を含まない」という点で軽度の統語的な不全を起こしていればこそであろう。本稿が劉 (2010b) のように、問題の接ぎ穂発話を統語的に完全なものと考え、その考えに合うよう「だ」の品詞を自立語的なものと構想して辻褄を合わせる方向に向かわないのは、このためである。

　以上を前提として、この第 3 節では、「サポート」の内容について述べておきたい。

　まず、問題の接ぎ穂発話が文脈のサポートを要することは、先行研究の段階から前提とされており、本稿もこの点は異存が無い。本稿冒頭で紹介した「接ぎ穂発話」という命名は、まさにそのことを示している。

　また、問題の接ぎ穂発話が (文脈のサポートと同時に) きもちのサポートを要することも、

---

9) 列車の乗務員がまもなく到着する駅の名を車内アナウンスで告げる場合のような「業務で定められた発話」は別扱いとなる。この点も定延 (2019) を参照されたい。

劉 (2010b, 95 注 9) の段階から (説明はなされていないものの) 認められている。

　だが、きもちのサポートに代わって、権力のサポートが、文脈のサポートと合わさって問題の接ぎ穂発話を自然にし得るということは、従来認められていない。このことは、問題の接ぎ穂発話が、同意したり、同意を求めたりする発話と捉えられていることと (劉 2010a; 2010b, 98, 99, 103)、関係しているのかもしれない。劉 (2010a) は「だよね」発話のみ、劉 (2010b) は「だ」「です」で始まる発話のみに範囲を限った考察であり、同意や同意要求という把握は、その範囲内ではある程度の妥当性を持っているが [10]、問題の接ぎ穂発話全体を見れば、同意関係とは限らなくなる。先の実例 (5) やアンケート結果を付した例 (9b) の「かなぁ」のように、先行発話に疑問を呈する発話もあるからである。

　実際には、問題の接ぎ穂発話には、文脈と権力のサポートが効くことがある。そして、このことに、話題が関わっている。たとえば次の (13) を見られたい。

(13)　有馬掛長　：[第三者に向かって] 六平太は帰省に決まってんだろがよ。
　　　山口六平太：です。

[林律雄 (原作)・高井研一郎 (作画)『総務部総務課山口六平太』第 35 話,

小学館, 2001[11]]

これはマンガ『総務部総務課山口六平太』の一コマの会話で、休暇中の動向を上司の有馬係長に決めつけられて怒りもせず、山口六平太が「です」と言っている。この判定詞「です」の後に終助詞は現れておらず、きもちのサポートはなされていない。それはおそらく、この「です」発話の時点でコミュニケーションの話題が「休暇中の山口六平太の動向」というものになっていることと、無縁ではない。

　会話分析の知見によれば (串田, 近刊)、本人に関する事柄については、話し手は会話の順番取りシステムを尊重しない特権的な立場に立つことがある。これを認めれば、上のマンガで描かれているのは、「社会的な身分関係の面では上位者にあたる上司が権力を持っているが、話題の面では、部下である山口六平太が権力を持っている場面」ということになる。山口六平太の終助詞の無い「です」発話は、山口六平太が「いまの話題 (山口六平太の休暇中

---

10) 但し次の第 4 節の観察は劉 (2010a) の考察範囲にも当てはまるだろう。

11) このデータをご教示下さった塩田雄大氏に感謝したい。このデータに関心を持たれた読者は筆者に連絡されたい。

の動向) の当事者本人」という権力の高みの座から、(同意ではなく) 承認したものと考えて
もおかしくはないだろう。類例として作例 (14) を挙げる [12]。

(14) [「ウィーンはドイツの首都で」という相手の発話に]
　　　じゃない。オーストリアですね。

例 (14) では、ウィーンがドイツの首都だという相手の誤った発言を、別の話し手が「じゃ
ない」と接ぎ穂発話で否定している。ここに終助詞は現れておらず、きもちのサポートは見
られないが、特に不自然ではない。それは、この話者の方がウィーンに関して知識を持って
おり、「知る者」としての権力を持っているからと考えられる。

4. 交感的発話と引用発話

　以上の第 3 節のように話題の当事者に権力を認めても、「自立性を持たない接ぎ穂発話が
文脈のサポートを必要とするのみで、権力やきもちのサポートは必要としない」という現象
は、なお観察される。それは発話が著者性にやや欠ける場合、つまり「話し手による」発話
だと全面的に言うことができず、幾分かは「会話相手による」場合である。この第 4 節で
は、この接ぎ穂発話を 2 種類、それぞれ「交感的発話」「引用発話」と呼んで取り上げてお
く。2 種類の接ぎ穂発話のいずれにおいても、典型的と言える実例を挙げることはできない
が、読者の理解の助けとなる例を挙げて説明を補足する。

4.1　交感的発話

　企業のテレビコマーシャルという人工的なものだが、例を (15) に挙げる。

(15) [女優の仲間由紀恵 (なかま・ゆきえ) が新幹線に乗っている。画面には「北陸へ。」
　　　の文字。BGM『北陸ロマン』が始まる。北陸の駅に画面が切り替わると、そこへ
　　　仲間の乗る新幹線が入ってくる。新幹線から降りた仲間は、何かを見つけたかのよ
　　　うに顔をほころばせる。自身のナレーション「訪れるたび、まだ知らなかった、美

---

12) 実は (13) には、上司の発言を受けた山口六平太が「下位者であるがゆえに」、終助詞「ね」などを「です」
の後に付け足せないという、別の解釈を持つ話者もいる。但し (14) については、「じゃない」と言う話し手が「よ
り知る者としての高み」に立っているという解釈に異論は無いようである。

と出会う」が流れ、北陸の駅のプラットフォームをゆっくり歩く仲間。そのシーンのところどころに、北陸の見もの、見どころの映像が挟み込まれて映し出される。このナレーションが終わる頃、仲間は立ち止まる。]

仲間由紀恵：［虚空を見て独り言］だから何度も来たくなるんだな［と微笑］

女　　　児：［同じプラットフォームの、少し離れたところで、母親らしい大人に手を引かれて列車を待っていたが、こちらを振り返って元気よく］だな！

仲間由紀恵：［くすりと笑う］

［北陸新幹線開業 5 周年コマーシャル「美しい北陸」編 [13]］

　このコマーシャルは、北陸新幹線の利用者増加を狙って、北陸の魅力をアピールしたものだろう。ここでは女児が、直前の仲間の独話「だから何度も来たくなるんだな」を受けて「だな」という接ぎ穂発話をおこなっている（下線部）。

　一般には、「だな」という接ぎ穂発話は同意の意味で発せられがちである。しかし、「北陸を訪れるたび未知の美と出会えるから、自分は北陸に何度も来たくなるのだ」という仲間の自己分析を女児が理解し、それに同意して「だな」発話に及んだという解釈は、少なくとも現実的なものではない。まず、同じ新幹線のプラットフォームにいるとはいえ、女児は仲間の呟きが聞き取れるような至近距離にはいない。また、そもそも仲間の自己分析の前半部（北陸を訪れるたび未知の美と出会える）はナレーションであって、呟かれておらず、女児は聞き取りようが無い。さらに、たとえその自己分析のすべてを聞き取れたとしても、女児は女児であって、大人（仲間）の心をとらえる北陸の美というものを十分に理解できるとは思えない。このように、女児が何をどこまで理解して「だな」発話に及んだと解釈すべきなのかは、そもそもコマーシャルという特殊な芝居の中での発話のことでもあり、明らかではない。

　だが他方、このコマーシャルには、我々が「現実にもあること」として思い当たれるものがある。機嫌の良い子供が、大人の発話（特に末尾）を、内容理解は二の次にしてくり返し、それによって子供と大人の間に親近感や一体感が生じる、あるいは確認されるということは、現実にもあるだろう。言語研究に蔓延している、「コミュニケーション＝情報の伝え合い」

---

13) データ (15) と (16) を指摘して下さった三井絢子氏に感謝したい。これらのデータに関心を持たれた読者は筆者に連絡されたい。

という伝達論的なコミュニケーション観に立てば見えにくくなってしまうが[14]、こうした交感的 (phatic, Malinowski, 1923) な発話の場合、自立語を持たない接ぎ穂発話は、同意や承認とはかけ離れた意味を持つ。

　女児の「だな」発話の末尾には終助詞「な」があるが、それは大人 (仲間) が発した「な」をくり返したものであって、女児独自のきもちは、「だな！」という元気の良い口調ぐらいにしか現れていない。仮に仲間が「だから何度も来たくなるわけだ」と言っていたなら、女児は「わけだ」と、終助詞無しで言って差し支えないだろう。「文脈のサポートを必要とするのみで、権力のサポートもきもちのサポートも必要としない」と上で述べたのは、このことである。

　これもテレビコマーシャルであるが、類似の例をさらに (16) に挙げる。

(16)　［画面には「暮らしに、あかりを、ぬくもりを。大阪ガス」などの文字。「大阪ガス」というナレーションの後、画面は、風吹きすさぶ、おそらく夕刻のバス停に切り替わる。親子に扮した漫才師の宇治原史規 (うじはら・ふみのり) と男児が、震えながらバスを待っている。］
　　　宇治原：うー寒いでー
　　　男　児：寒いでー
　　　宇治原：［スマホを取り出し、男児を見ながら］風呂沸かしとこかー
　　　男　児：［宇治原を見上げて笑顔で］とこかー

　　　　　　　　　　　　　　　　　　　　［大阪ガス　ツナガルde給湯器コマーシャル］

これは大阪ガスのコマーシャルの冒頭部で、帰宅途中にスマホを通じて遠隔操作で給湯器を操作でき、風呂を沸かしておけるという利便性がアピールされている[15]。ここで男児は2度、直前の大人 (宇治原) の発話末尾をくり返している。そのうち1度目の「寒いでー」は、自立語 (形容詞)「寒い」で始まっているが、2度目の「とこかー」((16) 下線部) は「〜しておこうか」という構文の「ておこうか」の部分が縮約したもので、自立語は含んでいない（「お

---

14) このコミュニケーション観に対する批判的な検討は、たとえば谷編 (1997) の諸論考や定延 (2016, 近刊) を参照されたい。

15) これは大阪方言色を活かしたコマーシャルである。念のため記しておくと、セリフの「寒いでー」は「寒いよー」、「沸かしとこかー」は「沸かしとこうか」にほぼ近い。

く」は補助動詞である)。男児が宇治原の発話の末尾をくり返すことで、2人の間に一体感が醸し出され、確認されている (ように視聴者には感じられる) が、これ以外には男児自身のきもちは発話形式に現れていないように見える。再び言うが、仮に宇治原が「沸かしとこー」と言っていたなら男児は「とこー」と、終助詞無しで発話できただろう。

　以上2例の接ぎ穂発話はいずれも、「大人の発話 (の末尾) を子供が繰り返す」というパターンでなされているが、それ以外、たとえば逆に「子供の発話 (の末尾) を大人が繰り返す」ということもあるだろう[16]。

4.2　引用発話

　自立語の無い接ぎ穂発話が、他者の発話を引用する形でなされる場合にも、権力やきもちのサポートは必要無い。例として、テレビ番組「探偵！ナイトスクープ」から採った対話を (17) として挙げておこう。

(17)　男性：あの　ふつう常識的にだ

田村：はい (笑)

男性：[「お祝いしましょう」っていう時にだ

田村：[「だ」(笑)　　はい　はい　はい　はい　「だ」(笑)

男性：この時間に来るっていうのは　ナイトスクープだけか

田村：(笑)

[「探偵！ナイトスクープ」2014年10月31日, 朝日放送テレビ[17]]

ここでは、お笑いタレントの田村裕 (たむら・ひろし) が、一般人の男性と、男性宅で対話している。これは「自分の誕生日を祝いに来てほしい」という男性からの依頼に応えて男性宅を訪れたものだが、来訪の時刻が深夜だったため、男性に「非常識ではないか」とやんわ

---

16) カメルーン熱帯雨林に居住する狩猟採集民バカ・ピグミー (Baka pygmies) のコミュニケーションには、(それ自体は接ぎ穂発話ではないが) 逆の存在を思わせる事例がある (園田＆木村 (近刊) の「背中を打て」)。タイミングの点で接ぎ穂発話からさらに離れるが、「ユニゾン」(串田 1997; 2006)・「唱和的共産出 (choral co-production)」(Lerner 2002) も同様の原理による現象ではないか。

17) このデータに関心を持たれた読者は筆者に連絡されたい。なお、定延 (2019) で取り上げた事例 (他者の発話における接続詞「だけど」とその音調を模倣) も、自立語 (接続詞) ではあるが、ここで挙げる「引用」によく似ている。

り苦情を言われている。

　田村はその苦情発話を「はい」と、形の上では神妙に聞いているが、男性の物言いが、文節末尾を判定詞「だ」で終えるという、いささか古風な年輩男性の (少なくとも「誕生日を祝いに来てほしい」という依頼とは合わない) 物言いだったため [18]、笑い混じりに「だ」と 2 度つぶやいている (下線部)。なお、ブラケット開始記号「[」を行頭に付した 3 行目と 4 行目は、同時に進行しているものと解されたい。

5.　まとめ〜自立性の無い接ぎ穂発話は「いわゆる文」か？

　自立性の無い接ぎ穂発話に属する発話「らしいですね」は、「一般的に文として把握されている」とされる (仁田, 2016, 13-14)。この一般的な考えの当否を論じることは残念ながら本稿の射程を超えている。だが、「いわゆる文」に当てはまるか否かを論じることはできる。

　以上の観察で見えてきたのは、自立性の無い接ぎ穂発話が、著者性が欠ける場合 (第 4 節) を除けば、「いわゆる文」に該当しない名詞一語発話と同様、文脈のサポートだけでなく、きもちあるいは権力のサポートをも要する (第 3 節)、ということである。このことから考えられるのは、自立性の無い接ぎ穂発話が、名詞一語発話と同じく、「いわゆる文」に該当しないということである。

　仁田 (2016, 15) は、自身でも「らしいですね」を文としつつも、その文観について「突き詰めれば筆者の好みの問題なのかもしれない」と述べてもいる。好みの問題を超え、実証的な文論を展開するために、本稿で扱えなかった音調面も含めて、さらに観察を重ねて結論を得たい。

謝辞

本稿は、日本語音声コミュニケーション学会と日本語プロフィシェンシー研究学会の合同大会 (2019 年 10 月 5 日京都大学)、および、より豊かな言語研究をめざす会第 9 回 (2020 年 2 月 22 日京都大学) における研究発表を改訂したものであり、日本学術振興会の科学研究費補助金 (基盤 (A) 16202006・19202013・23242023・15H02605, 基盤 (B) 17KT0059), 国立国語研究所の共同研究プロジェクト「対照言語学の観点から見た日本語の音声と文法」「日本語学習者のコミュニケーションの多角的解明」の支援を受けている。

---

18) この男性の物言いについて詳細は定延 (2019) を参照されたい。

参考文献

木村大治 (2003).『共在感覚—アフリカの2つの社会における言語的相互行為から—』京都大学学術出版会.

串田秀也 (1997).「ユニゾンにおける伝達と交感—会話における「著作権」の記述をめざして—」谷泰 (編),『コミュニケーションの自然誌』249-294. 新曜社.

串田秀也 (2006).『相互行為秩序と会話分析—「話し手」と「共‐成員性」をめぐる参加の組織化—』世界思想社.

串田秀也 (近刊).「自分に属することを話す権利の主張と交渉—会話分析の視点から—」定延利之 (編),『発話の権利』ひつじ書房.

定延利之 (2014).「話し言葉が好む複雑な構造—きもち欠乏症を中心に—」石黒圭・橋本行洋 (編),『話し言葉と書き言葉の接点』13-36. ひつじ書房.

定延利之 (2016).『コミュニケーションへの言語的接近』ひつじ書房.

定延利之 (2019).『文節の文法』ひつじ書房.

定延利之 (近刊).「序論—この論文集ができたわけ—」定延利之 (編),『発話の権利』ひつじ書房.

塩田雄大 (2018).「日本語と「標準語・共通語」」『日本語学』37-5,6-22, 明治書院.

園田浩司・木村大治 (近刊).「バカ語話者にみられる発話の借用—「発話の権利」は普遍なのか—」定延利之 (編),『発話の権利』ひつじ書房.

谷泰 (編). (1997).『コミュニケーションの自然誌』新曜社.

寺村秀夫 (1982).『日本語のシンタクスと意味Ⅰ』くろしお出版.

仁田義雄 (2016).『文と事態類型を中心に』くろしお出版.

劉雅静 (2010a).「談話における単独の「だよね」の用法—終助詞「よね」の機能に対する検討を兼ねて—」『筑波応用言語学研究』17,71-84. 筑波大学人文社会科学研究科文芸・言語専攻応用言語学領域.

劉雅静 (2010b).「談話レベルから見た「だ」の意味機能—「だ」の単独用法を中心に—」『言語学論叢 オンライン版』3 (通巻29) , 90-107. 筑波大学一般・応用言語学研究室.

Hayashi, M. (2004). Discourse within a sentence: A exploration of postpositions in Japanese as an interactional resource. *Language in Society, 33*, 343-376.

Lerner, G.H. (2002). Turn-sharing: The choral co-production of talk-in-interaction. In Celia E. Ford, Barbara A. Fox, and Sandra A. Thompson (eds.), *The Language of Turn and Sequence,* 225-256. Oxford: Oxford University Press.

Malinowski, B. (1923). The problem of meaning in primitive languages. Supplement to Charles K. Ogden and Ivor. A. Richards, *The Meaning of Meaning: A Study of the Influence of Language upon Thought and of the Science of Symbolism*. London: Routledge & Kegan Paul. ［ブロニスロー・マリノウスキー

定延利之

「原始言語における意味の問題」C.＝オグデン，I.＝リチャーズ(1936[3]著), 石橋幸太郎(2008訳)『新装意味の意味』補遺, 385-430. 新泉社.]

Sadanobu, T. (2018). The "my funny talk" corpus and speaking style variation in Japanese. In D.G. Hebert (Ed.), *International Perspectives on Translation, Education and Innovation in Japanese and Korean Societies,* 133-147. Cham: Springer International Publishing.

教科書で教えられない発話末形式

―日本語母語話者と日本語学習者の発話末を観察して―

伊藤亜紀 (名古屋大学大学院)

要旨

　本稿では、まず日本語学習用教科書における「言いきらない発話」の発話末形式の扱いをまとめ、日本語母語話者と日本語学習者の発話末の観察から言える使用傾向について述べる。その後、「言いきらない発話」の中で「中途終了発話」に限定して会話分析的手法を用いて考察する。

　考察では学習初期から日本語学習者に馴染みのある文型が中途終了発話として使用されている場面を取り上げ、応答に使われる「〜と思って」と不平の語りに頻出する「〜みたいな」を例に、相互行為上の機能を観察した。「〜と思って」で終わる発話は前出の行為の説明を行い、質問や指摘を受けた後に行為の正当化や自己弁護として用いられていた。「〜みたいな」の場合は、引用部分で演じている自分と実際の自分との違いを「〜みたいな」という語彙で示し、不平を語る上での人としての分別と大胆さを表していた。

　形式が持つ意味機能を教えることに加え、このような相互行為的な機能を教えることで、実際の日常会話場面での言語使用に近い文法や表現を教えられると考える。

キーワード：発話末形式、中途終了発話、会話分析、「〜と思って」、「〜みたいな」

The Utterance-final Tokens Not Taught in Textbooks

Examining the Utterance Endings of L1 and L2 Japanese Speaker

ITO Aki (Graduate School of Nagoya University)

Abstract

This paper reports the interactional functions of unfinished utterance-final tokens, especially syntactically incomplete utterances which aren't taught in the Japanese language textbooks. After summarizing and comparing the tendencies of these token usages by Japanese native speakers and Japanese learners, I analyze the data of the target utterances in daily conversations using the approach of Conversation Analysis. In this analysis, I focus on the instances of "~ to omotte" in the question-answer or indication-response sequences and "~ mitaina" in story-telling. "~to omotte" is used for accounting for completed actions in the past and used as justification and self-defense. "~mitaina," on the other hand, is used as a quotation marker by story-tellers when talking about their past experiences and anecdotes. However, by adding "~mitaina" as an utterance-final token, the tellers act out the different selves than what they actually were in the situations in order to emphasize their sensibility and boldness. In addition to teaching the semantic functions of the forms, teaching such interactive functions would be beneficial to leaners for acquiring the target language frequently used in daily conversations by native speakers.

Keywords: utterance-final token, syntactically incomplete utterance, Conversation Analysis, ~to Omotte, ~Mitaina

1. はじめに

　日本語学習者がめざすゴールは、日本語母語話者の発話でなくていい。しかし、日本語母語話者の発話の特徴や傾向を理解し、彼らが好む会話スタイルや、話し言葉に特有の文法などについて知っていることは日本語学習者にとって有意義であろう。それを知識として知っているのか、または「今、この会話の中で」使うことができるのかといった「程度」は、会話における日本語学習者自身のプロフィシェンシーを示すことにもなる。本稿は、「言いきらない発話」に注目し、日本語学習用教科書におけるこれらの発話末形式の扱いをまとめ、日本語母語話者と日本語学習者の発話末の観察から言える使用傾向について述べる。さらに、「言いきらない発話」の中で、統語面、音調面、行為の遂行といった観点から「中途終了発話」を限定し、会話分析的手法を用いて考察する。その考察では、「〜と思います」や「〜みたいな〜」のような学習初期から日本語学習者に馴染みのある文型が、中途終了発話として使用されている場面を取り上げ、日常会話で使用される相互行為的な機能について述べたい。

2. 教科書で教えられる発話末と教えられない発話末

　日本語学習者が「教室で教わる日本語」と「日常生活で耳にする日本語」の違いを教師に訴えることがある。その1つに発話末形式が挙げられる。シラバスに関係なく、一般的に初級日本語学習用教科書では、「です・ます」「普通体」「終助詞」を用いて、統語的に言い切った形で終わることが求められる。他方、日本語母語話者の日常会話においてはその限りではなく、名詞や助詞で終わるもの、従属節で終わるものなど多様である。本稿ではこのように発話のターンが完了しているにも関わらず、統語的に完了していないものを「言いきらない発話」と呼ぶ。

　荻原 (2008) は、日本語母語話者の会話では、形式的に言いさしているように見える倒置や付加も含め、約40%以上が最後まで言いきらない発話であるとしているが、実際の教育現場で教科書を通して教えられる言いきらない発話は限定的である。本節では、2つの日本語学習用教科書を比較し、言いきらない発話の扱いについて考える。

2.1 教科書での扱い

　副教材などの豊富さから国内外を問わず広く使われている『みんなの日本語　初級II』では、いくつかの言いきらない発話が登場するものの、教え方の手引き (2001, 45) には、

「『ちょっと時間が…』のように、普通の会話では言いにくいことは全部言わずに、中途で途切れたような言い方をする場合が多いことにも留意させる。」

という留意点の記述しか見当たらず、練習問題も従属節に続く主節、逆に主節に前接する従属節の作成を意図したもので、会話練習としての取り上げはされていない。次に『まるごと日本のことばと文化 中級 2 TOPIC1』では、「ちょっと聞きたいことがあるんですが…」「そんな話を聞いたんで…」のような例が示され、「判断を聞き手にゆだねる言い方」であり、それによって「断定的で押しつけがましい言い方を避けることができる」という文言が教え方の手引きに留意点として載っている。これらを観察すると、発話の最後には「…」が付けられ、言い淀みとして認識されることが多い。また、ある発話の前置きとして使われるものが多く、最後まで言い切らずに発話の受け手に続く部分を推測してもらうことを暗黙のうちに依頼するようなものだと言える。さらに、内容としては言いにくいことを伝えたい時に使用している。

2.2 教えられていない発話末形式

　前節で述べた「言い淀み」以外にも、実際の日常会話データを観察すると、統語的には未完了の形式でありながら、下降調の音調で産出され、言いたいことを言いきり、これ以上続く発話が想像できないものもある。本稿では、このような教科書に登場しない発話、「言い淀み」や「前置き」に当たらない発話に注目したい。例えば、例1では、05行目が対象となる。リコとアイはメキシコシティにあるレストランで食事をしている。

　本稿では、会話分析的手法を用いるが、書き起こし方法に関してはJefferson (2004) と串田・平本・林 (2017) に従い、会話分析や書き起こし方法の詳細は後節で説明する。

例1.「メキシコでの携帯利用」
01　リコ: なんかさ日本に帰ると,安心して携帯出せない?
02　　　　(1.0)
03　アイ: >でも私,今日もここ (h) 出してた.<
04　リコ: [本当:::?
05　アイ: [>で,ここ日本じゃなかったと思って:.<
06　リコ: そ:::だよ:::.

　リコは 01 行目で「盗られる機会の多いメキシコと違い、日本では安心して携帯電話がカバンから出せる」ことについて、アイに質問の形で同意を求めている。この発話には、「メキシコでは危なくて、路上で携帯電話を出せない」という前提がある。アイは 03、05 行目の発話を通して、リコと同様の前提を持ちつつも、うっかり携帯電話を取り出した後で、自らの不用意にも誤った行動をしたことに気づいたという経験を語りながら、「日本では問題ないが、メキシコではするべきではない」ことだと自らの経験を位置づけ、01 行目のリコの発話への同意を示している。

　05 行目の発話末の「思って」は下降調のイントネーションで発音され、言い切った音調である。形式上は一見未完の発話のように見られるが、06 行目のリコの反応は、03、05 行目で述べられたアキの発話に対する適切な反応となっており、リコはアイの 05 行目の発話を完了したものと見なしている。発話が終わったかどうかに関しては、Ford & Thompson (1996) が統語面、音調、行為という観点から述べているが、本稿においても参考にし、例 1 の 05 行目に現れた発話のような

・統語的には完結していない
・発話末の音調が下がっている。
・主節に当たる発話が観察されないが、発話の目的 (行為) は遂行されている

という要件を満たすものを「中途終了発話」と呼び、考察する。

3.　先行研究

　「言いきらない発話」「中途終了発話」に関しては様々な名称で呼ばれ、これまでも言及されてきた。大きく以下 3 点で語られることが多い。「省略である」とする立場 (水谷,1989; 益岡・田窪, 1992; 荻原 2008, 2011)、「省略もありながら、慣用的なものもある」とする立場 (大堀, 2002; 堀江, 2016)、「独立文と同等である」とする立場 (高橋,1993; 白川, 2009) 等である。

　第二言語習得研究から見たものとしては、朴 (2010) がある。朴は接続助詞で終わる発話 (本文中では言いさし表現とされる) と、接続助詞が本来の節と節を繋ぐ役割を果たしている発話を KY コーパスと上村コーパスを用いて観察し、中英韓国語を母語とする日本語学習者と日本語母語話者の発話末表現について調査した。結果として、節が続く接続助詞のある文は

日本語学習者のレベルが上がるほど多用されるが、日本語母語話者の会話では、超級レベル、上級レベルの半分程度しか使用されず、一方、言いさし表現は上級、超級学習者よりも日本語母語話者の会話で多用されていると述べている。

さらに、日本語の口頭運用能力のレベルと発話末の形式における相関関係の有無について調査したものに、伊藤 (2017) がある。伊藤は日本語母語話者とメキシコ人日本語学習者でOPI超級、上級、中級各 5 名ずつの 15 分間の自由会話の音声を録音し、その発話末に使用される形式を分類し、その傾向を観察した。その結果、日本語の口頭運用能力が上がるほど、言いきらない発話の産出傾向は上がるとし、その特徴を以下の表のように述べた。

＜表 1 ＞　メキシコ人日本語学習者の自由会話における発話末形式のレベル別産出傾向

中級	言語能力不足からの言い淀みや発話の繰り返しによって、意図せず途中で発話が終わってしまう事が多く、傾向としては助詞終わりが頻繁に見られ、節で終わるものが少ない。
上級	中級の約 2 倍の頻度で節終わりの発話が見られるものの、話し癖や、文法的な誤りも見られる。 引用表現や「～かも」と言った表現も見られ出す。
超級	話し癖や文法的な誤りは観察されないものの、節終わりでの発話末イントネーションに不自然さが見られ、発話が終わっているのか、終わっていないのかといった不安を聞き手に抱かせる発話が見られ、産出上の問題が中級や上級に見られるものとは異質である。
日本語母語話者	発話末を曖昧にぼかす表現「みたいな」や「とか」が多用されている。 とまとめている。

これらの先行研究から総じて言えることは、発話末の形式には、日本語学習者のプロフィシェンシーが現れているということである。次章では、日本語母語話者の発話には頻繁に見られるものの、日本語学習者の発話には見られない発話末形式について、具体的な会話例を提示しながら、観察していくこととする。

4.　データと方法論

本章では、日本語母語話者の日常会話を会話分析の手法を用いて詳細に分析し、日本語母語話者が日々意識的に、または無意識に発話を用いて行なっている行為を観察することから、中途終了発話の機能について述べる。

4.1.　データの概要・対象の限定

本稿で扱う発話は、先述の中途終了発話の要件に合うものを下記データ (約 8 時間) から

抽出した (表2参照)。

< 表2>　使用データ

音声データ	・CallHome Japanese Corpus (約2時間)「電話会話」 ・筆者自身が録音した日常会話音声データ (約2時間30分) 「1対1のおしゃべり場面」
ビデオデータ	・ 筆 者 自 身 が 撮 影 し た 日 常 会 話 ビ デ オ デ ー タ (約2時 間30分) 「大学生3人のおしゃべり場面」「女性5名の昼食場面」「大学生、大学院生の初対面場面」 ・研究協力者から提供のあったビデオデータ (約40分)「大学生のおしゃべり場面」等

　筆者の行なったデータ録音、収録協力者には、研究目的と個人情報の充分な保護の上で使用することについて事前に説明をし、会話場面の音声、ビデオ記録および研究への使用について同意を得た。他研究者の録音、収録したものに関しても、同様の対処がなされているものを使用している。対象発話の前後を含めて、会話分析 (Conversation Analysis, 以下CA)で一般的に使用されている書き起こしシステム (Jefferson, 2004; 串田・平本・林, 2017) を使用し文字起こししたものを断片として紹介し、詳述、分析を行う。付記に書き起こしに使用した記号の一覧を載せる。書き起こしは行番号、発話者、発話の順に並んでおり、本稿の対象となる発話は太字で示す。

4.2.　会話分析とは

　本稿では、1960年代にHarvey Sacks、Emanuel Schegloff、Gail Jeffersonらが開発したCAのアプローチを用い、音声データ、ビデオデータを詳細に文字化し、分析する。

　近年その研究手法が言語学や言語教育学においても効果的であると考えられている (高木・細田・森田, 2016) CAは筆者による作例や作られた場面で誘発された発話ではなく、実際の社会生活の一部をビデオに収め、言語的な発話や相槌、ジェスチャー、視線等の非言語活動も含めて観察する。さらに、発話形式やその意味だけではなく、様々な資源によって人々が意識的、かつ無意識に行なっている相互行為の中に現れる秩序を観察し、発話の連鎖構造の中で行為を理解し、それを記述することをめざしている科学的分野である。「Why that now? (なぜ今、ここで、この行為が行われているのか)」の記述を試みるCAによって、生まれてはすぐ消えていく発話を遡及的、かつ微視的に分析し、会話を相互行為として観察することで、より実際の言語生活に即した話し言葉の規範を学習者に教えるきっかけが得られると考える。

5. 「～と思って」で終わる発話の事例分析

　日常会話において、ある発話に対して、「～と思って」という発話末形式で反応を返す事がある。例えば以下のようなものである。

　例2　「電車の中で」

　01　A:どこいくの？

　02　B: 歯医者行こうかなあと思って.

　例3　「ブリーチ」(ユミが「ブリーチをしても髪が痛まない」と言った後の会話)

　01　リン:　.hh ((笑っている))

　02　ケン:　めっちゃ笑ってますけど. ((ユミを見ながら))

　03　リン:　いや,羨ましいなと思って.

　例2は筆者の友人が電車で耳にした高校生のやりとりである。行き先を訪ねるAに対して、Bは「～と思って」の発話で応答している。例3は「ブリーチをしても髪が痛まない」というユミの発話を聞いて笑うリンに対して、それを見たケンがリンの様子をユミに報告した後のリンの反応である。

　「～と思います／思う」という学習項目は初級で扱われ、機能として話し手の推量や判断、思考を表すと教えられる。同様に「テ形」も学習初期に教えられる重要な動詞の一活用である。白川 (2009, 154) はテ形で終わる中途終了発話を観察し、テ形で終わるものは文脈の依存性が強く、その発話のみで言い切っていると言える終助詞的な表現だということはできないと述べている。本節では白川の取り扱っていない実際の会話のデータをもとに、「～と思って」で終わる発話について、どのような発話の組み立てとともに使われているかを踏まえて観察する。

5.1　行為の説明を行う「思って」

　三原 (2013) は接続助詞「て」には、「理由」「並列」「継起」「順次動作」を示す機能があると述べた。そして、白川 (2009) はテ形終わりの発話は「事情の説明」「感嘆」「陳謝」「感謝」「非難」という意味機能を持つとしていると述べた。本稿で観察したデータをみる限り、「～と思って」で終わる発話は「テ形」にある「理由」という意味機能、「説明する」という

相互行為上の機能を用い、前出の行為に関する説明を提示していると言える。つまり、形式としては未完であるが、主節に当たる行為はすでに発話の前に行われているということである。一例を示す。例4の会話の前に最近の若者についての不平の語りがいくつかされている。

例4　「最近の若者」

```
01   ナミ: nで:: (0.3) やるけど:: (0.2) なんかその↑発展する::° ことが:できないか
02        ら::°
03        (0.9)
04   ナミ: が-,学校::あの::::なんか先を読むとか::
05        (0.9)
06   アイ: ↑なんでだろうね¿
07   ナミ: う:ん
08        (0.8)
09   アイ: 教育?=
10   キコ: =え,<優しすぎへん>,周りが.[=と思って.
11   マチ:                          [あ!
12   ナミ: う::ん
13   マチ: 優しすぎる.
```

　この会話の直前、キコは同僚の若い男性社員が「口は立つが、仕事はできない」と不満を述べる。それを聞いて、ナミが01、02、04行目を発して、最近の若者には先を読むことができないと意見を述べる。06行目でアイがナミを見ながら理由を問いかけるが、それに対し反応 (07行目) は得られたものの、ナミを含む誰からも明確な回答が得られないため、09行目でアイ自ら、回答の選択肢として考えられるものを提示する。それを聞いてすぐキコは「え」と自分とアイの想定が違うことへの気づきを示し (Hayashi, 2009)、周囲にいる人間が優しすぎるのではないかという意見を述べる。「周りが」の音調が下がっていることから、ここで一旦発話が完了していると思われる。これは発話順番を交替してもいいと考えたマチが「あ!」と11行目で発話していることからもわかる。しかし、実際にはキコはここで発話を止めずに、「と思って」を付加する。「と思って」の部分は一旦終わった発話に対し、キコが急遽付け加えたものだと言え、もし「と思って」の付加がなければ、キコの発話

103

は 06 行目のアイの発話に対し、強く抵抗を示しながら意見を述べるという行為になる。森山 (1992) は「と思う」という形式には個人的な意見や主張であることを断ることで、主張を和らげる機能があると述べているが、キコの 10 行目の発話は「と思う」によって自らの主張を和らげ、アイの意見を強く否定しない。かつ、「思って」の形式にすることで、前に出てきた行為や発話 (例 4 の場合は 01、04 行目のナミの発話やそれに対する 06 行目のアイの質問) に関連する主張であることを遡及的に示していると言える。このキコの発話の後、ナミもマチも 12、13 行目でキコの発話を理解したことを示す反応を返しており、10 行目は前出の行為の説明として発話の受け手に理解されたことがわかる。

5.2 自己の正当化のための発話

　伊藤 (2020) では、「〜と思って」で終わる発話の相互行為上の機能として、質問に応答する場合の「と思って」で終わる発話について観察が行われており、以下 2 つの相互行為上の機能があるとした。

1. 現在の思考を言語化し、質問者の応答要求に対し明確な回答がないことの説明を行う
2. 自らの行為の正当化を行うために、過去のある時点の思考を引用することで遡及的に発話や行為の説明を行う

　2 に関しては、他者からの指摘に対する反応にも見られる機能だと言えるため、以下に一例を示す。例 5 は某大学の教授に研究室に呼ばれた学生 4 名 (ワカ、リン、ケン、ユミ) の初対面会話場面である。断片の直前、ユミが頻繁に髪型や髪色を変えると話し、それに対してワカがユミに髪の傷みについて質問し、髪の強さから問題ないと言われたとユミが返答する。

　例 5 「ブリーチ」
01　ワカ: ¥ああ∷.¥[髪質によるん[です゚ね゚.
02　リン: [.hh((笑っている))
03　ユミ: 　　　　　　[でも∷
04　ケン: 　　　　　　　　　　[めっちゃわら-((ケン、リンを指差す))
05　ユミ: そう[そう[そう.
06　リン: 　　　[.hh((笑っている))

07　ケン：　　　　　　[めっちゃ笑[ってますけど. ((笑っている))

08　リン：　　　　　　　　　　　　[haha

09　ユミ：[hhh

10　リン：[いや,羨ましい[なと思って.

11　ケン：　　　　　　　　　[haha

12　ユミ：ほんとに?

13　リン：私,これ,黒-っぽく染めて1ヶ月でこんなに色が落ちるんですよ.

14　ユミ：ああ::[::

15　リン：　　[すぐ色落ちるし,傷むから,いや[羨ましい[な::[と思っ゚て.

16　ワカ：　　　　　　　　　　　　[ああ　　　[ああ

17　ユミ：　　　　　　　　　　　　　　　　　[゚本当に::゚

　ユミの返答を聞き、ワカは01行目でブリーチによる髪の傷みが髪質によるということを理解したと表明する。その間、2人の話を聞いているリンが笑っていることにケンが気づき、04、07行目でユミに報告する。この発話自体が笑いながらなされていることから、場面はシリアスなものではなく、リンをからかいながらユミに伝えていることがわかる。それに対し、10行目でリンは「いや」という間投詞を使って、ケンの想定に抵抗を示し、ユミのこれまでの発話に対して笑っていたのではなく、「羨ましいな」という自身の感情が溢れたのだと、自らの「笑う」という行為の説明をする。12行目でユミはリンの発言の真偽を問うが、その質問に対し、リンはそれまでの笑いを止め、13、15行目を発する。10行目で一旦説明を行なっているにも関わらず、疑いがかけられていることに対して、リンは13、15行目で自身の染まりにくい髪質等に触れることで、より詳細な情報を加えて、説得的に先ほどの笑いがいかに正当なものであったかという説明をやり直す。16行目以降の発話を観察しても、15行目の続きと考えられる発話は産出されていない。

　15行目のリンの発話はケンの指摘によって気づかれた自らの笑うという行為が、ユミの発話に志向したからかいではなく、自らの感情によるものだという説明を必要に迫られて行なっている。この「〜と思って」で終わる説明によって、自らが行なった行為が正当なものであるという主張がなされており、リンは「思って」で終わる発話を使って、自己弁護を行なっていると言える。

6. 「引用表現＋みたいな」で終わる発話の事例分析

日本語学習用教科書であまり扱われない発話末形式として「みたいな」で終わる発話がある。「<名詞>みたいだ」や「<名詞>みたいな<名詞>」の形式が学習項目として扱われることが一般的で、発話末形式での「みたいな」が扱われることはあまりない。

寺村 (1984) は「みたいだ」について、「ようだ」の口語的でくだけた感じだと述べており、その中心的な意味として「真実に近い」ということを挙げている。また、表現意図としては、外見的な状況に対して、発話者の経験や体験等を根拠とした判断をするといった推量や推定、「そのようなものだ」ということを表す比喩、比況として説明される (市川, 2018)。しかし、実際の発話では、「なんで私どけなあかんの,みたいな」、「あ！みたいな」、「交通費でる,え!やる::みたいな」のように、引用表現に後続し、かつ名詞を伴わない「みたいな」で終わる発話も多く見られる。メイナード (2004) では、これを「類似引用」と呼び、基本的な機能として「客観的表現、ぼかし表現、ソフト化ストラテジー」を挙げた。本節では発話や思考の直接引用表現に「みたいな」と言う形式が後続して終わる発話に着目し、「みたいな」で終わる発話が語りという行為の中でなぜ使用されるのかについて考える。

6.1 曖昧性の持つ機能

筆者の収録した日常会話データを観察すると、引用表現に「みたいな」が後続した発話は全部で 75 例あった。文脈から発話の引用だと言えるものもあれば、発話の引用なのか、思考の引用なのか、区別することが難しいものもあるが、多くは語りの場面、中でも、「不平の語り」に頻繁に見られる (39 例)。本稿では不平の語りを観察する。

例 6 は、アイ、マチ、ナミ、キコ、ユキ 5 名の昼食会での会話からの抜粋であり、キコが新入社員Aに対して不平を語っている場面である。この直前、キコはAの「僕向上心がないんです」「あれ (係長) くらいになったら、多分俺いいっす」という発話を紹介している。キコは事務職で、Aのサポートも行なっている。

例6 「キコの不平」

01　キコ：でもさ:: (0.2) や,私はないよ:: (.) 私はないけど,そういう>だか<さ-サポートす
02　　　　る側やん?
03　マチ：うん.
04　キコ：だから:: (0.5) え!そうな:ん. (0.2) てゆうか, (0.3) 横の隣の係長なめてへん?

05　　　　　[みたいな.

06　アイ: [あ:::

07　ナミ: [hh

08　マチ: [hahahaha

09　キコ: いやいや,めっちゃ::,すごい仕事を::,[せ::へん.してるで: (.) あんた::できん

10　アイ: 　　　　　　　　　　　　　　　[( )

11　キコ: の::[みたいな::

12　マチ: 　　[う::ん

13　ユキ: (　　　　　)

14　キコ: すごい徹夜で現場行ったりとかしてんで::できんの::,ちょっとなめてない?

15　アキ: ああ,そういうことね.[うんうんうん

　　　　　((11 行省略))

27　キコ: そうそう.=で- (0.2) なったら:: (0.2) >なんか<応援する気が

28　　　　　無くなるって[いうか::

29　アキ: 　　　　　　　[う::ん

30　キコ: んん (.) ほな,あ,どうぞ:,勝手にどうぞ::みたいな::

31　マチ: う::ん

32　キコ: でももうそういうふ-何にも言えへん人が:: (0.2) しんどそうにしてたら: (0.4)

33　　　　　サポートして-あげたくなるけど:: (1.1) なんやこいつと思って::

　この例では、当該発話は 3 箇所観察される。

　最初は 04、05 行目である。04 行目でキコは「↓え!そうなん」と驚きを示す。これはAの「僕向上心がないんです」「あれ (係長) くらいになったら、多分俺いいっす」という発話を受けての反応である。それまでの想定と違っていることを表す「え」が強く弾むような音調で産出されていることから、これまでAに上昇志向がないとは想像していなかったということを表していると認識できる。「そうな:ん.」という発話と同時に人差し指を前に突き出しているが、まるで目の前にいるAを叱っているかのように見え、問題となっている当時の状況の再現とともに、その時のキコのAに対する心境が示されている。04、05 行目は発話の冒頭から声のトーンがやや低音で発せられており、キコの当時の腹立たしいと感じている様子、かつ冷めた様子が見て取れ、喧嘩口調のようにも聞こえる。

次に「みたいな」が現れるのが09,11行目の発話である。「Aが気づいていないであろう」という想定のもと、係長の仕事ぶりを評価し、同じことができるのかと詰る。ここでもキコは「あんた」と蔑みを含んだ指示詞としても使われる表現を用い、かつ「できんの」という「あんたにはできないだろう」という逆の想定を含む発話をしている。27行目では、両手の平を上に向け、まるで「お手上げ」とばかりに首を横に振りながら、「応援する気がなくなる」と発話し、「ていうか」で代替案を示すことを想起させつつ、「勝手にどうぞ」でまさしく首を左右に振り、開いた手を上にあげて、「自分でやれ」とばかりに広げた手の平を前に数回突き出す。これはAの発話、態度に対するキコの総合的な評価になると考えられる。

本節で紹介した発話は実際の発話とも聞き得るし、当時思ったことを表しているだけとも取れるが、どちらであるかは会話の断片を聞いただけでは判断できない。「言う」や「思う」のような動詞であれば、発話の引用であるか思考の引用であるかが明確となるが、「みたいな」の場合、文脈を考慮しても、どちらであるか区別できないものも多い。それはつまり、その使用には、発話の引用なのか思考の引用なのかを明確にする必要がないのからだと考える。

Haakana (2004) は発話の引用であるのか、思考の引用であるのかを曖昧にすること自体に相互行為的な機能があると述べた。まず、登場人物の悪口を明示的にしないことで、自らが分別のある人間だと示し、かつ、心に浮かんだことを人に口頭で伝えられるだけの大胆な面も持ち合わせている人間であるということを表明できるとしている。日本語の日常会話における「みたいな」で終わる発話を通して観察できるのは、批判的、侮蔑的な問いかけやキコの投げやりな態度であった。キコは引用表現を通して、本来であれば出せない当時の自分を「今この場」で演じて見せ、それに「みたいな」という曖昧性を持つ発話を使うことで、「実際の自分とは違う」ということを示しつつ、Haakana のいう分別と大胆さを表しているのだと考える。

7. まとめ

本稿では、「言いきらない発話」、中でも、統語的、音調、行為の遂行という3つの点から限定した「中途終了発話」に注目した。まず、日本語学習用教科書におけるこれらの発話末形式の扱いをまとめ、日本語母語話者と日本語学習者の発話末の観察から言える使用傾向について述べた。さらに、「〜と思います」や「〜みたいな〜」のような学習初期から日本語学習者に馴染みのある文型が、中途終了発話として使用されている場面を取り上げ、日常会話で使用される相互行為的な機能について考察した。これらの形式の意味機能は十分に授

業で取り上げられているが、実際の発話の中でどのような相互行為的な機能を持って使用されているかにはあまり着目されていないように思う。形式が持つ意味機能を教えることに加え、このような相互行為的な機能を教えることで、実際の日常会話場面での言語使用に近い文法や表現を教えられ、「学ぶ日本語」と「使う日本語」のギャップを埋められるのではないかと考える。

参考文献

市川保子 (2018).『日本語類義表現と使い方のポイント』スリーエーネットワーク.

伊藤亜紀 (2017).『日本語学習者の言いさし文の習得―メキシコ人日本語学習者の自由会話における言いさし文の産出傾向―』(南山大学修士論文).

伊藤亜紀 (2020).「『～と思って』で終わる発話の相互行為上の機能―質問に応答する際の『～と思って』―」『名古屋大学人文学フォーラム』3, 401-416. 名古屋大学人文学研究科.

大堀壽夫 (2002).『認知言語学』東京大学出版会.

荻原稚佳子 (2008).『言いさし発話の解釈理論―「会話目的達成スキーマ」による展開』春風社.

荻原稚佳子 (2011).「日本語母語話者による自由会話における『言いさし』の使用と解釈」『明海大学外国語学部論集』23,1-17. 明海大学外国語学部紀要編集委員会.

串田秀也・平本毅・林誠 (2017).『会話分析入門』勁草書房.

白川博之 (2009).『「言いさし文」の研究』くろしお出版.

泉子・K・メイナード (2004).『談話言語学-日本語のディスコースを創造する構成・レトリック・ストラテジーの研究-』くろしお出版.

高木智世・細田由利・森田笑 (2016).『会話分析の基礎』ひつじ書房.

高橋太郎 (1993).「省略によってできた述語形式」『日本語学』12, 18-26. 明治書院.

寺村秀夫 (1984).『日本語のシンタクスと意味 第2巻』くろしお出版.

朴仙花 (2010).「OPIデータにみる日本語学習者と日本語母語話者による文末表現の使用―接続助詞で終わる言いさし表現を中心に―」『言葉と文化』11. 217-235, 名古屋大学大学院国際言語文化研究科日本言語文化専攻.

堀江薫 (2016).『「非従属節」のタイポロジー -言語類型論研究と「言いさし」研究の接点-』,第70回NINJALコロキウム・講演会, 国立国語研究所, 東京. 6月7日.

益岡隆志・田窪行則 (1992).『基礎日本語文法 改訂版』くろしお出版.

水谷信子 (1989).『日本語教育の内容と方法』アルク.

三原健一 (2013).「テ形節の統語構造」『日本語・日本文化研究』23.1-15.大阪大学大学院言語文化研究科日本語・日本文化専攻.

Ford, C. E.,& Thompson, S. A. (1996). Interactional units in conversation: Syntactic, intonational, and pragmatic resources for the management of turns. In Ochs, E., Scheg-loff, E.A. & Thompson. S.A. (Ed.) , *Interaction and Grammar, 134-184*. Cambridge: Cambridge University Press.

Jefferson, G. (2004). Glossary of transcript symbols with an introduction. In G. H. Lerner (Ed), *Conversation Analysis: Studies from the First Generation,* 13-31. Amsterdam: John Benjamins.

Haakana, M. (2007). Reported thought in complaint stories. In Holt, E., Rebecca,H. (Ed.), *Reporting talk,* 150-178. Cambridge: Cambridge University Press.

Hayashi, M. (2009). Marking a 'noticing of departure' in talk: Eh-prefaced turns in Japanese conversation. *Journal of pragmatics, 41* (10) , 2100-2129.

MacWhinney, B., & Wagner, J. (2010). Transcribing, searching and data sharing: The CLAN software and the TalkBank data repository. *Gesprachsforschung, 11*. 154-173.

謝辞

　　本稿は日本語プロフィシェンシー研究学会・日本語音声コミュニケーション学会第2回合同大会で発表を通して報告した内容の一部をもとにしている。発表の機会を与えてくださった定延利之先生 (京都大学)、鎌田修先生 (南山大学)、会話分析的な考察をするにあたり、コメントをくださった林誠先生 (名古屋大学)、中馬隼人氏 (名古屋大学大学院)、梁勝奎氏 (名古屋大学大学院) に感謝申し上げる。

付記

トランスクリプト記号一覧

[この記号をつけた複数行の発話が重なり始めた位置

]   この記号をつけた複数行の発話の重なりが解消された位置

=   前後の発話が切れ目なく続いている。または、行末にこの記号がある

           行から行頭にこの記号がある行へ間髪を入れずに続いている

（数字）   沈黙の秒数   （.）ごく短い沈黙。およそ0.1秒程度

文字::   直前の音が延びている　「:」の数が多いほど長く延びている。

文字-   直前の語や発話が中断されている

文字.   尻下がりの抑揚

文字?   尻上がりの抑揚

文字¿   やや尻上がりの抑揚

文字,   まだ発話が続くように聞こえる抑揚

文字!   声が弾んでいる

↑文字   直後の音が高くなっている

文字↓   直後の音が低くなっている

文字   強く発話されている

°文字°   弱く発話されている

hh   息を吐く音

.hh   息を吸う音

文（h）字（h）   笑いながら発話している。

¥文字¥   笑っているような声の調子で発話している

<文字>   ゆっくりと発話されている

>文字<   速く発話されている

（文字）   はっきりと聞き取れない部分

フランス語の談話標識と (非) 流暢性

秋廣尚恵 (東京外国語大学)

要旨

本研究では、フランス語の談話標識と (非) 流暢性の問題を概観し、学習者の談話標識の使用の調査を行う。昨今、フランス語学の分野でも、談話標識の研究が盛んに行われ、それらの研究を通して、談話標識が談話の構築において果たす役割の重要性が明らかになりつつある。また、談話標識は様々な談話コンテクストに応じて多機能であり、その習得は学習者にとっては難しい。初級、中級の学習者のインタビューに現われる談話標識の使用の特徴をネイティブのそれと比較したところ、母語話者の使用頻度の高い談話標識の一部を学習者が使用していること、また、初級—中級の学習者はとりわけ言いよどみや言い誤りの修正を行うために談話標識を多用していることがわかった。この結果の考察から、談話標識の学習、教育へのいくつかの示唆を得ることができる。

キーワード： (非) 流暢性、談話標識、談話機能、談話コンテクスト、多義性、日本人フランス語学習者

Discourse markers and (dis) fluency in French

Hisae Akihiro (Tokyo University of Foreign Studies)

Abstract

The aim of this paper is to provide a brief overview of recent studies of French discourse markers (DMs) and to investigate their use by Japanese FFL learners. Recent studies have shown that discourse markers play a crucial role in organizing and structuring discourse for successful communication. A discourse marker can have various functions and meanings depending on context, which makes their acquisition very difficult for learners. Our qualitative analysis shows that beginner and intermediate learners begin to use some of the DMs most frequently used by native speakers, and also that they can make good use of DMs as a strategy of discursive organization, especially in reformulating and searching for words. We thus seek to provide some suggestions for learning and teaching DMs.

Keywords: (dis) fluency, discourse markers, discursive function, polysemy, Japanese FFL learners

1. はじめに

　フランス語学の分野では、1970年代後半以降、音声、さらにはマルチモーダルな会話データの収集やその電子化が進み、会話データの分析に基づく話し言葉研究が盛んに行われるようになった。談話レベルで様々なモダリティを表現し、テキスト構築にかかわる要素は「談話標識」と呼ばれ、これまで多くの研究が行われてきた。

　フランス語話し言葉研究の先駆者であった Blanche-Benveniste (2010, 81) は、話し言葉の第一の特性として、何よりもまず、非流暢性を挙げている。時間の流れに沿って、話線上に次から次へと要素を連ねていく話し言葉では、往々にして、言いよどみ、繰り返しなどが見られるが、それらを機能不全や偶発的に起こるものとして切り捨ててしまってはならない。実はその多くの現象が話し言葉特有の談話構成の何らかの規則にのっとって生じているからだ。

　会話に実際に参加する話者や聞き手自身は、話し言葉の非流暢性を特に意識しない。言語学者によって転写されたデータを見て初めて、我々は、実際に話されたものがいかに非流暢であるかを知る。それはおそらく、書き言葉特有の流暢性―つまり、紙面やスクリーン上での「読みやすさ」に配慮した流暢性に、我々の意識が慣れすぎてしまっているからであろう。文学作品や報道文、SNSやチャットといったジャンルに応じて程度の差はあるにせよ、紙面や字数といった限られた空間に収まるよう、書き言葉は推敲され、話し言葉に見られる言いよどみや繰り返しといった非流暢性の特徴を消し去り、読みやすさという観点からの流暢性をめざす傾向があると考えられる。

　談話標識は、談話の構成員である話し手と聞き手との協働作業による談話構築の中で重要な役割を果たす。それは、話し言葉に特有の談話文法にのっとって現れる要素である。したがって、その規則性は、書き言葉を基盤とする規範文法の枠組みでは明らかにはされない。フランス語学の分野では、現在、話し言葉の分析方法の基盤が出来上がりつつある。様々な談話標識のケーススタディが蓄積されて、その談話的用法の規則性が次第に明らかになってきている。しかし、これはあくまでフランス語学の専門分野の研究者のレベルの話である。

　その知見を応用して、フランス語学習者に談話標識を教えようと考えるならば、こうした研究の蓄積を教育の現場向けにわかりやすく資料にまとめ、教材や様々なタスク作成に応用できるよう整備する必要がある。本研究の目的は、そのための基礎資料の1つを提供することにある。

　本稿では、まず、2章において、先行研究やコーパスの例を挙げつつ、フランス語の談話

標識の持つ規則性を概観する。次いで、3 章において、コーパスをもとに、学習者の用いる談話標識とネイティブの用いる談話標識の出現頻度率、談話標識のタイプや位置、用法についての傾向を比較し、検討する。そして、最後に、学習者の談話標識の習得と教育において配慮すべき点について、対照中間言語的観点からの考察と示唆を述べる。

2. 談話標識とは何か

2.1. 談話標識のタイポロジー

Fedriani & Sansò (2017, 2-5) によれば、談話標識は、以下の 3 つに分類される。

・「社会的、対人的な結束性 (social and interpersonal coheshion)」を表すもの。
・「テキスト的結束性 (textual cohesion)」を表すもの。
・「自らの発話の情報ステータスに対する発話者の評価 (the speaker's evaluation of the information status of his/her utterance)」を表すもの。

Fedriani & Sansò (2017, 2)

ここで、注意しておくべき点が 2 つある。1 つ目は、それぞれの分類の境界線がときに曖昧になるという点である。例えば、「話題の転換」という機能は、テキスト的結束性に関わるものであるが、話題を転換するために、共話者の発話を遮り、談話の方向を変えるならば、共話者への働きかけを伴い、社会的、対人的な結束性にも関わることになる。また、2 つ目は、談話標識の機能と形式は必ずしも一対一には対応しないという点である。談話標識は往々にして多機能的で、複数の役割を兼ねている。例えば、フランス語の談話標識 donc (「だから」) は、テキストの結束性を担保するだけでなく、自分の発話を正当化するという主観的モダリティを表現することもある。また、逆に、いくつかの談話標識が同じ機能を果たすこともある。例えば、発話者が自身の発言に対して、留保をつけ、制限をかけるといった場合に用いられる連結辞には、après (「あと」)、maintenant (「今」) など様々なものがある。

また、談話標識は様々な構成要素によって実現される。もっぱら談話標識としてのみ機能し、他の用法を持たない要素 (euh「ええと」、mh「うん」、ah「ああ」などのいわゆるフィラーなど) もあるが、伝統的な文法範疇に属する用法と談話的用法を持つ要素 (bon「よい」は形容詞であるが、談話の中では、境界表示詞としても用いられる) も存在する。さらに、舌打ちやため息といったパラ言語的な要素や、身振りなどの要素などがある。また、パラ言語的

要素と言語的要素が複合的に組み合わさって談話標識として機能する場合もある。例えば、フランス語の oui「はい」には、吸気しながら発音される用法があるが、これは会話などで、相手の話に対する賛同の相槌として機能している。

2.2. 談話標識に共通する特徴

談話標識の研究はフランス語学の分野でも数多く行われてきた。先行研究によりすでに指摘されていることをここでまとめておこう。

まず、主に関連性理論の枠組みで行われた研究の中で、指摘されてきたことであるが、談話標識は、真偽を問う命題内容に関わるのではなく、談話単位 (発話・発話行為・談話的記憶etc.) に関わる要素である。また、概念的、論理的意味ではなく、手続き的な意味やモダリティを表現する。フランス語の parce que「なぜならば」について見ると、(1) のように、主節に統合される従属節を導く従属接続詞として機能する用法と (2) のように、疑問文とそれを発したことを正当化する発話行為を結びつける連結辞の用法が観察される。

(1) Le médecin soigne Axel parce qu'il est malade (Moeschler, 2009, 131)
「医者はアクセルを治療した。彼が病気だったからだ。」
(2) Tu viens ? Parce qu'on est en retard. (Moeschler, 2009, 97)
「来るの (来ないの) ？　遅れているんだからね。」

また、談話標識は様々な位置 (発話の左方、内部、右方) に現われる。Beeching et al. (2014, 11) によれば、談話標識が左方に出る場合と右方に出る場合には、その機能が異なるという。実際、フランス語の談話標識 après「あと」[1]について見てみると (3) のように発話と発話の左方境界域に現れて「添加」や「対立」の連結辞として機能する場合と (4) のように、右方境界域に現われ、前方に現れた発話をまとめて結論づける場合がある。

---

1) フランス語の après は通常、前置詞に分類される語 (英語の after に相当する) であるが、絶対用法で用いられると、いわゆる副詞として動詞を修飾する用法を持つ。この副詞は語用論化され、文頭や文末に現れて、発話全体をスコープとする談話標識として用いられることがとりわけ話し言葉で観察されている。(Le Draoulec,2017; Le Draoulec & Rebeyrolle 2018, Akihiro 2018, Akihiro, Kanaan-Caillol, Skrovec 2019 参照)

(3) MI302- c'est un peu particulier quand même ce gars-là. il est un peu particulier

GJ302- ah ouais.

MI303- bon, <u>après</u>, je comprends, je veux dire, des fois, il y a des gens, ils aiment bien se faire mousser ils aiment bien tu vois être le centre de gravité voilà (TUFS11091203)

「MI302- それにしてもちょっと変わってるね。奴は。ちょっと変わっているよ。

GJ302- ああ、そうだね。

MI303- うん、<u>でも</u>、わかるけどな。つまり、ときどきいるのさ。自己顕示欲の強くて、ほら、中心に居たがる人間がさ。」

(4) NG214- Ah, oui! oui! oui! [en riant]

BS215- t (u) vois pour [rire] pour v (e) nir, quoi donc ça va mais euh voilà donc comment ça s'est fait bon euh après j (e ne) t'en (parle pas) j (e) te passe les détails pa (r) ce que

NG215- ben, oui, oui

BS216- là bon c'est un comment dirais-je, c'est un peu privé <u>après</u> (TUFS11091421)

「NG214- ああ、そう！そう！そう！ [笑いながら]

BS215- そう、や、[笑い] やってくるためにね！だからいいじゃない。でも、ええと、だからそういう経緯なの。ええと。うん、あとは、もう話さない。詳しいことは言わない。だって、

NG215- ああ、うん。うん。

BS216- それは、うん。それは、ええと、何ていうか、ちょっとプライベートのことだからね。<u>結局ね</u>。」

　さらに、音声面について見ると、談話標識は、特有の韻律的特徴を伴って発話されたり、音声的減少が見られたりすることが多い。例えば、je ne sais pas は、文字通り、[ʒənəsɛpa] と発音されて、「私は知らない。」という話者の認識の状態を表現する場合もあれば、音声的減少を起こし、[ʃɛpa] と発音されて、発話者の発話や事態に対する認識や評価付け、共発話者に対する働きかけや態度といったモダリティを表現する談話標識として用いられることが知られている。

　また、Dostie & Pusch (2007) で扱われたように、地域、話者の年齢、性別、社会的属性、発話状況や使用域、文体やジャンルに応じて、談話標識の用法は多様性を見せる。また、社会言語学的観点からの談話標識の分析は、昨今注目されており、オルレアン大学のESLO (オルレアン社会言語学研究) では1960年代と2008年代以降の2つの時代に分けて収集した様々なジャンルやレジスターの大量のデータをコーパス駆動的分析によって比較しつつ、談話標識についてケーススタディを活発に行っている。

　また、Traugott (1995) を始めとする認知言語学的な観点の研究によって、談話標識は脱範疇化、語彙化、文法化といった通時的変化と大きく関わっていることが明らかになった。フランス語学でもこの視点からの研究は多い。とりわけコーパス基盤の用法研究はフランス本国だけなく、ベルギーにおいても盛んである。

　本稿では、とりわけ談話標識の多義性の問題に関心をよせる。最近、フランス語で著しく頻度が高く用いられるようになった談話標識のdu coupを例に、談話標識の用法と意味がどのように多義化しているのかを明らかにしたい。

2.3.　談話標識の多義化について― du coup を例に

　Du coupは起点を表す前置詞 de と 名詞 coup が凝結してできた連結辞である。Gross (1984)、Ibrahim (1987)、Nielsen (2004) によれば、この名詞 coup はそもそも多義的である。基本的には「衝突」と「衝突による衝撃」の両方を表す語である (5) が、「原因」(「衝突」) と「結果」(「衝撃」) が1つの語によって表されることから連想されるように、この語は「即効性」、あるいは「衝撃性」、「起動性」、「完了性」といったアスペクト的意味を表す傾向がある (6)。また、ある一定の量や回数を表す量化詞となる (7)。さらに、文脈中に現れた出来事を照応的に指示する用法を持つ (8)。

　　(5) un coup de pied (「足で一蹴すること、また蹴られた結果生じた衝撃のこと」)

　　(6) d'un coup (「一気に」)

　　(7) un coup de champagne (「シャンパンを一杯」)

　　(8) du coup (「それで」「だから」)

　Du coup はとりわけ照応的に文脈の中に現れた出来事を指し示す用法の le coup (「その」(定冠詞の le) ＋「出来事」) に起点を表す前置詞 deがついたものである。Malm (2011) に

よれば、du coupは、はじめは分析的に「de + le coup」として用いられていたが、16世紀から19世紀にかけて語彙化が進み、さらに、動詞の後ろに置かれる副詞の用法から文頭に置かれる連結辞の用法へと変化していった。さらに、連結辞となった後に、次第に、時間的な「後続性」を表す用法から語用論化された因果関係の「結果」を表す用法を持つようになったという。現代フランス語において du coup は「時間的後続性」と「結果」の両方の意味を持つ。

Rossari & Jayez (2000) によると現代フランス語の du coup は、「原因」となる出来事の生起によって、はじめて起動される「結果」を表す傾向があるという。このことは、coupが本来持っている完了的アスペクトの意味と関係していると考えられる。Du coupは恒常的な性質や状態を表す「原因」に結びつきにくいという性格を持つ (9)。しかしながら、(10)のように、完了的な意味合いを持つ「原因」とは相性がよい。

(9) Max est intelligent ?? du coup il comprend les maths.
     「マックスは頭がよい。だから数学がわかる。」

(10) Max a vidé une bouteille de whisky du coup il comprend les maths.
     「マックスはウイスキーを一本飲み干した。だから数学がわかる。」

(Rossari & Jayez 2000, 316)

また、以下の例も同様に、容認性が低いと判断される。

(11) Il est italien ?? du coup il est européen.　　　(Rossari & Jayez 2000, 312)
     「彼はイタリア人だ。だから、ヨーロッパ人だ」

しかしながら、Rossari & Jayez (2000, 312) が述べているように、この「原因」を表すil est italien（「彼はイタリア人だ」）を発話時点に新たに「獲得」した情報として表すのであれば、問題なく容認される。

(12) Ah, il est italien ? Ab ben, du coup, il est européen. (Rossari & Jayez 2000, 312)
     「ああ、彼イタリア人なの？　ああ、そう、じゃあ、ヨーロッパ人だね」

　以上の先行研究を踏まえ、実際のコーパスの用例を観察してみよう。まず、指摘しておくと、du coup の使用は、とりわけ近年、著しくその頻度が高くなってきており、規範文法を信奉するフランス語の純粋主義者の批判の的となっている。若者言葉における「言語的なチック」と呼ばれ、ビジネスなどの改まった場面では du coup の多用を避けるようにといった話し方指導がネットなどで見られるほどである。

　実際、2005 年、2010 年、2015 年の 3 回にわたってフランス語母語話者の学生の雑談を集めた東京外国語大学のフランス語話し言葉コーパスで頻度数の統計を取ったところ、以下のような結果が出た。

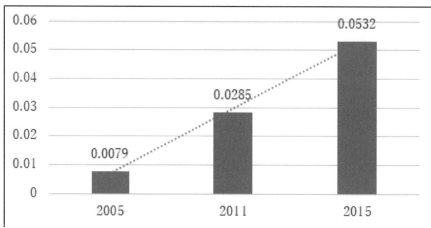

＜グラフ 1 ＞　**Du coup** の出現率 (用例数／コーパス総語数) の推移

　この結果からも、わずか 10 年の間に du coup の頻度が著しく上がっていることがわかる。この使用頻度の高さはその用法の多義化にも影響を与えている。Traugott & Trousdale (2013, 19-21) で指摘される「生産性 productivity」が増大していると考えられる。すなわち、頻度が高くなると同時に、du coup と共起する要素の範列 (パラダイム) が拡大し、それに伴い、du coup は、命題内容間の論理意味的な繋がりとしての「継起関係」や「因果関係」を表す用法から、談話的単位 (発話、発話行為、談話的記憶、話題など) を結びつけて、メタ言語的な意味効果を持つ用法を拡大しているのである。先の Rossari & Jayez (2000) の (12) のような例が実際の日常会話の中では非常に多く現れているのである。

　筆者のコーパスのデータでは、du coup がコンテクストに応じて、ますます多くの機能的意味を担うようになってきていることが確認された。紙面の都合上、具体例の引用を割愛するが、そのメタ言語的な用法には、テキストの結束性に寄与する様々な用法 (「話題の転換」、

「すでに取り上げた話題への回帰」、「フィラー」、「まとめ」）や、発話内効力的なモダリティ表現に寄与する用法（「自身や対話者の発言への注釈づけ」、「正当化」、「言い直し」）が観察された。

　以下のグラフは、以上に挙げたメタ言語的な用法が各コーパスに現れる du coup の全用例数に占める割合を比較したものである。年を追って、メタ言語的な用法の割合が著しく増えていることがわかる。2005 年にはメタ言語的用法は全体の 13％にしか満たなかったものが、2015 年には、メタ言語的な用法が全体の 51％を占めるに至っている。

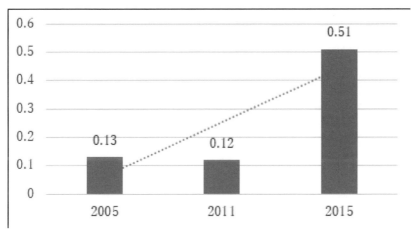

＜グラフ 2 ＞　　**Du coup のメタ言語的な用法の出現率の推移**

　さらに興味深いことに、もともとは、du coupは先行文脈に現われた要素を受けて照応的に指示を行うもの (le coupの原義) であったが、とりわけ 2015 年のコーパス中の具体例の中では、参照するべき先行文脈がこれといって見当たらず、インタラクションの冒頭に突然現れているように見える例が散見される。

(13) BF1：[aspiration] ben alors du coup tes vacances t'as fait quoi pendant les vacances？(TUFS15220903)
　　「BF1:[息を吐く] ええと、それで、じゃあ、休暇は、何をしていたの、休暇の間？」

　この例は、録音をスタートした直後、「とりあえず、まあ、この話題でも」といった調子でインフォーマントが話を切り出したときに現われた例である。何を話そうか言いよどみ、息を吐き、ben「ええと」alors「それで」du coup「じゃあ」と、連続してフィラーが現れ

ている点に注目したい。

　これに似た例として、Abouda (2019) は、昼時に同僚同士集まった後で、ある同僚が (14) のように述べたと指摘する。

　　(14) Du coup on va déjeuner ?
　　　　「じゃあ、昼食でも行こうか？」

　Abouda (2019) は、(14) の du coup について、発話者が、「勧誘」という発話行為を「正当化しつつ」導入する役割を果たしているのではないかという仮説を述べている。「結果」の語用論化された解釈としては実に妥当な説である。ただし、筆者の考えでは、この例では意味の漂白化が起きており、「正当化」という意味はむしろ失われていると考える。より正確には、(13)、(14) の du coup には、論理的意味から発する用法としては機能しておらず、導入される発話行為の唐突さを和らげ、スムーズに談話の中に導入する緩和詞の役割を果たしている。

　また、(13) や (14) では、確かに先行文脈は言語化されてはおらず、唐突な印象を受けるが、実際には、それぞれの例で、「録音が始まったので、何か話そう」(13)、あるいは「みんな集まった。おなかもすいてきた」(14) といった語用論的に推論される暗黙の知識を前提としつつ、質問を投げかけ (13)、昼食の誘いを切り出している (14) と考えることができる。本来、照応的な du coup には、「前提となる文脈を参照せよ」という手続き的な意味が含まれていると考えられるが、この特性は、前提となるものが言語化されない発話状況や共話者間に共有される語用論的知識であっても有効に働いていると考えることができるのではないだろうか。つまり、(13) や (14) の例では、そうした暗黙の了解を参照させることで、次に続く発話の唐突さをやわらげていると考えることができる。

　このように、du coup の談話的用法は、本来 du coup の持つ「経緯」、「因果」を表す照応的な連結辞としての用法が談話レベルのコンテクストに応じて見せる様々な意味効果として説明することが可能である。その多義化には、du coup 本来の意味と談話構築の規則の両方が大きく関わっているのである。

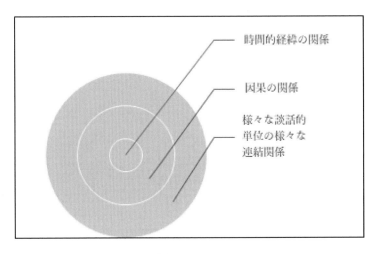

時間的経緯の関係

因果の関係

様々な談話的
単位の様々な
連結関係

＜図 1 ＞ Du coup の多義性

2.4. フランス語の談話標識の全体像を明らかにするためには？

　談話標識の記述は、規範文法の枠組みでは全く行われておらず、コーパスに基づく記述文法の枠組みで、最近、フランス語学の中でも盛んに行われるようになった。その研究の多くが、以上の 2.3 に見るように、1 つひとつの談話標識のケーススタディという記述方法をとっている。その蓄積により、明らかになってきたことは実に多い。

　一方、フランス語の談話標識の網羅的なリストやその用法の全貌を明らかにした研究の試みは、Chanet (2004) や Paillard, D. & Vu T.N. (2012) など、ごくわずかな研究しか存在しない。その中で、比較的充実したリストを提供しているのが、Crible (2018) である。この研究では、大規模なコーパスに現われる用例を半自動的アノテーションにより分類し、英語とフランス語の談話標識の網羅的な一覧を提供している。この研究により、フランス語の談話標識の大まかな全体像を捉えることが可能である。しかしながら、それでも細かい分類をよく見ると有限なコーパスのデータにはそもそも現われなかったものや、アノテーションの基準の設定の仕方によって、漏れてしまっているものや分類が変わってしまうものがあるように思われる。分析の精度を上げるためには、今後、コーパスの拡充とさらに多くの綿密なるケーススタディを積み重ね、アノテーションの方法を改善する必要があるだろう。いずれにしても、個人研究の枠を超えた、複数の研究者や自動言語処理の専門家の協働が必要となる作業であると考えられる。

3. 談話標識と（非）流暢性の習得

　さて、以上に、フランス語学の談話標識研究の概観、談話標識の多義化の問題をまとめた。この内容を踏まえつつ、以降は、学習者の談話標識、そして（非）流暢性の問題について論じたい。

3.1. 談話標識の習得について

　ここでは、とりわけ、日本人フランス語学習者の談話標識の習得について、コーパスのデータに基づき観察を行い、対照中間言語学的視点から考察を行う。

3.1.1. コーパス

　本調査では、科研費基盤研究B、川口裕司代表「フランス語、ポルトガル語、日本語、トルコ語の対照中間言語分析」）の枠組みで収集した学習者コーパスから3名の学習者のインタビューを使用する。さらに、東京外国語大学が21世紀COE「言語運用を基盤とする言語情報学拠点」のプロジェクトの一環として、2005年に収集したフランス語の母語話者の話し言葉コーパスの中から、1名の学生のインタビューを使用する。

　学習者コーパスについては、調査者（フランス語母語話者）が質問をし、それに、学習者が回答するという形式で会話をしてもらったものを使用する。質問内容は、主にフランス語の学習方法、フランスへ行った時の経験、異文化理解に関わる内容である。今回観察する3名の学習者は、CEFRレベルで、それぞれA2レベル、B1レベル、B2レベルに達した学生である。以下にレベルと学習歴の情報を示す。

＜表1＞　インフォーマントのフランス語学習歴とレベル

学習者	フランス語歴	フランスへの滞在
学習者A（A2レベル）	3年（学部生）	1年
学習者B（B1レベル）	5年（大学院生）	1年
学習者B（B2レベル）	6年（大学院生）	1年

　一方、母語話者のインフォーマントはフランスのある大学の学生団体の代表を務めている哲学科の大学院生である。このインタビューでは、その学生団体の仕事について、インタビューをしている。学習者のインタビューもネイティブのインタビューも、大学構内で録音された。調査者はいずれも、フランス人大学院生で、インタビューを受ける学生とは以前か

ら面識がある。ジャンル、使用域ともに 2 つのコーパスは類似しており、比較するのに妥当なデータである。

3.1.2. 分析方法

　学習者のインタビューについては、全データを分析対象とした。Crible (2018) のフランス語の談話標識のリストを参照しつつ、手動で談話標識と考えられる要素をすべて抜き出した。そして、それぞれの要素が出現した位置、談話機能に応じて分類した。母語話者のインタビューについては、全データは長すぎるため、学習者データとほぼ同じくらいの長さ (冒頭から 2,482 語) で切り、その部分のみ分析した。学習者のデータと同様に、談話標識を手動で抜き出し、その位置と機能による分類を行った。

　分析は、以下の観点から行った。まず、1 点目は、各話者の使用した談話標識の出現率である。これについては、各話者の談話の総語数に対する談話標識の出現数の割合を比較した (グラフ 3)。次いで、2 点目としては、各話者の使用する談話標識のバラエティである (グラフ 4)。その際、同じ形式を持つ談話標識でも出現する位置が異なる場合には、区別をして統計を取った。最後に、学習者とネイティブの双方にとって最も頻度の高く表れた談話標識euhの使用の比較を行った (グラフ 8)。

　学習者のレベルごとの一般的な傾向を見るためには、多数のインフォーマントのデータを集め統計調査を行う必要があるが、それは今回の調査の目的ではない。今回は、質的調査に重点をおいた。つまり、インフォーマントの数を 4 名にしぼり、各話者の談話標識の使用を詳しく観察し、その類似や違いを分析していく。

3.2. 学習者の (非) 流暢性とネイティブの非流暢性、談話標識の使用の違い
3.2.1. 談話標識の出現率について

　以下のグラフに示されるように、談話標識の出現率を比較してみると、以外にも、母語話者に比べて、学習者A,B,Cの方が談話標識を使う頻度が高いという結果が出た (グラフ 3)。また、談話標識のバラエティに関しては、逆に、母語話者が学習者よりも多様な談話標識を使用していることがわかった (グラフ 4)。母語話者に比べ、学習者A, B, Cはいずれも談話標識を頻繁に使用はしているが、限られた談話標識のみの使用に留まっているということがわかった。

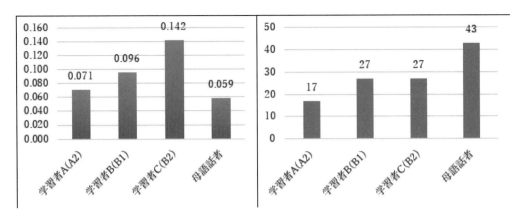

<グラフ3> 談話標識の出現数 　　　<グラフ4> 談話標識のバラエティ

　さて、それぞれの話者が使用している談話標識の内訳を見てみると、どの話者も euh の頻度が圧倒的に高く、それ以外については、donc（「だから」）、après（「あと」）、du coup（「それで」「だから」、先の 2.3 を参照) や parce que（「なぜなら」）などが見られた。母語話者においても比較的頻度の高い談話標識を、学習者も使用していることが観察された。ただし、1つだけ例外があった。mh については、母語話者はほとんど使用していない（3例のみ）のに対して、学習者ではかなり頻繁に使用されている（学習者Aは 21 例、学習者Bは、105 例、学習者Cは 23 例）。これについては、日本人以外のフランス語学習者のデータと照らし合わせて、日本人に特有の問題なのかどうかを検証する必要があるだろう。だが、おそらくは、日本語の相槌やフィラーの「うん」「う～ん」からの母語転用が見られるのではないかと考えられる。

　また、母語話者だけに観察された談話標識も数多く、23 件が見つかった。これらの談話標識はいずれも、基本的用法と談話的用法の両方を多義的に持つ談話標識の類であった。こうした語は基本語であっても用法の習得が難しい語である。先に挙げた donc もその部類であるが、donc のように、頻度のきわめて高い談話標識については、学習者も頻繁に耳にしており、それなりに使用できてもいるので、おそらくは学習者がオーセンティックなフランス語により多く触れて学習していくことで、さらに使える談話標識を増やしていくことが可能であると考えられる。

　さて、母語話者と学習者にも頻度が最も高く現れた談話標識は、euh（「ええと」）であった。この談話標識の使用について以下に詳しく比較してみよう。

3.2.2.　学習者と母語話者の **euh** について

　談話標識 euh は、その出現位置や韻律的な特徴に従って幾つかの異なった機能を持つ。ここでは、とりわけ位置に着目して以下の４つに分類する。①発話開始位置 (左方)、②発話内部の語境界位置、③発話終了位置 (右方)、④独立した発話を単独で構成、の４つである。まず、euh の現れる位置ごとに分けて、各話者の使用頻度を見てみると、以下のような結果が出た。

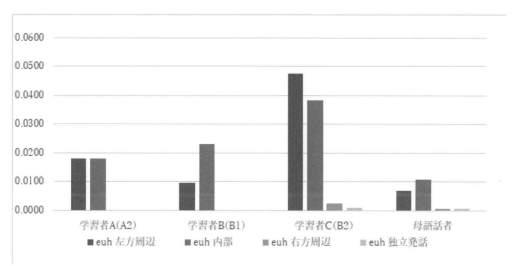

＜グラフ５＞　**euh** の使用頻度とその出現する位置 (全体の語数に対する割合)

　最も頻繁に euh を使用しているのは、学習者Cで、最も使用頻度が低いのが、母語話者であった。また、euhの用法のタイプを見ると、学習者Cと母語話者は多様な用法を使用しているが、学習者AとBは主に左方に出るタイプ (言いよどみ) か、発話内部の語境界にでるタイプ (語の言いよどみ、修正など) しか使用していないという結果が出た。

　母語話者が euhを頻繁に使用するのは、とりわけ発話の左方周辺や、発話内部で、言葉を探しながら話すとき (15-16) や語句の言い直しや言いかえ (17) を行うときであった。そして、この傾向はすべての学習者にも共通して見られる。以下に、まず、母語話者の例を挙げる。

　(15) L1 voilà donc ton rôle

　　　 L2 euh vice-président étudiant donc +

　　　 euh donc dans l'université il y a quatre vice-présidents +

　　　 trois vice-présidents qui sont des professeurs

et un autre qui est un vice-président étudiant　　　　　（TUFS05070401）

「L1：さてと、じゃあ、君の役割は？

L2：ええと、学生の副代表ってとこかな。つまり。

ええと、というのは、大学には 4 人の副代表がいるんだけど

3 人の副代表は教員で、もう 1 人は学生の副代表さ」

(16) le local a été euh a été redonné euh à ce projet de bureau de la vie étudiante

　　　　　（TUFS05070401）

「場所が、ええとまた与えられたんだ、ええとこの学生生活課のプロジェクトにね」

(17) les conseils centraux conse- le c- euh conseil d'administration （TUFS05070401）

「中心委員会、委員かーええと、総務委員会」

　また、右方や独立した位置に現われる場合には、言いかけたものの、中断してしまう例 (18)、共話者に対して何等かの働きかけを伴う例 (19) が見られた。 (18) の例でも、(19) の例でも、話者の共話者への働きかけを受けて、調査者が、中断された説明を補う (18)、あるいは、話者の戸惑いを察して、調査者の行き過ぎた言葉の使い方を訂正 (19) している点が興味深い。

(18) L2 après ça reste à l'université de d'en définir clairement euh

　　 L1 d'accord donc ça il faut un un voeu du ministère et en même temps c'est bien

　　 localisé et tout chaque université peut adapter　　　　　（TUFS05070401）

「L2：とはいっても、それを明確に定義するのは大学っていうか、ええと。

L1：なるほど、じゃあ文科省からお達しはあるんだけど、同時に現場に任されていて、各大学で裁量が決められるってことだね」

(19) L1 d'accord et au quotidien ça se manifeste de quelle manière des pouvoirs

　　 L2 euh

　　 L1 ou pas de pouvoirs

　　 L2 en termes bof un pouvoir c'est un grand mot　　　　　（TUFS05070401）

「L1：なるほど。で、日常的には、権力はどんなふうに現われるんだろう。

L2：う～ん

L1：ああ、権力じゃないのか。

L2：言葉ではね、まあ、権力というのは大げさな言葉だね」

学習者では、語のいいよどみや修正に用いられる euh が母語話者よりも数多く現れていることが観察される。以下は、学習者Cの例である。

(20) euh pour moi euh comme euh j'habite euh au Japon parler français euh avec les na mh les natifs donc euh c'est une difficulté pour moi et euh une autre difficulté c'est euh la prononciation (TUFSjpto1scg)

「ええと、私に関しては、ええと、日本に、ええと、住んでいるから、ええと、フランス語をしゃべる機会が十分なくて、ええと、母語話者の人たちと、だから、ええと、私には難しいんです。それから、ええと、もう1つ難しいのは、ええと、発音。」

このタイプの用法の頻度数が、語彙力や表現力がまだ十分でない学習者では極めて高くなってしまうのは、ある意味当然とも考えられる。あまり頻繁にeuhが挟まれると確かに非流暢的な印象を受けるが、学習者Cの談話を実際に音声で聞いてみると、母語者ほどなめらかとは言えないものの、それほど気にならない欠陥である。それは、この学習者が統語的連辞の切れ目ごとにリズムをとって発音できているからではないかと考えられる。フランス語は語アクセントがなく、連辞ごとにつなげて一息に読むことで、独特のリズム単位を構成する言語である。このリズムが取れるか否かは、流暢性を考える上で重要な基準になるが、この学習者の場合には、euhを挟むタイミングがこのリズム単位にきちんと合致しているので、あまり不自然さを感じない。また、学習者Cはeuh だけではなく、様々な談話標識 (ou, non など) を利用して、自分の言い間違いに気づくと訂正するという作業をこまめに行っている点も指摘しておきたい。談話標識の数は多いので必ずしもなめらかに話しているとは言えないが、文法的には、誤りが訂正されて、全体としてわかりやすい談話になっている。

一方、学習者Bはeuhの頻度が他の学習者に比べると少ないのだが、その分、mhやポーズ (ここでは#で転写) で代用する癖がある。以下に例を見よう。

(21) mh sinon ça va parce que les vocabulaires ils sont comment dit il ressemble à celui de l'anglais # du coup ouais ça va mh sauf la prononciation et la

grammaire # ouais je pense que ça va <u>mh mh</u> (TUFSjpto1ak1)

「う〜ん、あとは大丈夫。というのも語彙はなんていうか、英語に似ているし、だから、うん、大丈夫。<u>ううん</u>、発音と文法を除けばね。うん。大丈夫だと思う。<u>うんうん</u>。」

　母語話者であってもmhを言いよどみの際に使用することはあるので、こうしたmhの使用を誤用だということはできない。頻度的に mh が多く、なめらかさが欠けているという特徴はあるが、学習者Bも、フランス語のリズム単位は十分に習得できており、比較的聞きやすい談話となっている。

　最後に、学習者Aの euh や mh の使用であるが、以下の例のように、発話の言いよどみ、あるいは語彙の探索に使用されていることがわかる。

(22) je ne connais pas bien <u>euh</u> <u>mh</u> le <u>euh</u> <u>mh</u> comment dit l'article <u>euh</u> quand quand je utilise <u>mh</u> article indéfini ? (TUFSjpfu2yn1)

「よく知りませんが、<u>ええと</u>、<u>う〜ん</u>、その、<u>ええと</u>、<u>う〜ん</u>、なんていうか、冠詞、<u>ええと</u>、<u>う〜ん</u>、不定冠詞を使うとき？」

　学習者Aは、他の学習者に比べて、euh の頻度が低い。学習者Bのように、mh で代用していることもあるが、それ以外にも、言い誤った個所を修正したり、より適した表現への言いかえをしたり、機能を持つ談話標識の使用が全く見られないこと、また、複雑で長い構文を使わず、簡単で短い単文構造を多用することで、間違いを回避しているといったことが関係していると考えられる。例えば、以下の例では、c'est 〜 (「それは〜だ」) を繰り返し使用することで統語的な複雑さを避けている。また言い誤りを修正することなく、素通りしてしまっている。

(23) apprentissage du français c'est mh c'est difficile mais # d'abord c'est très p-grande <u>différent</u> pour moi c'est # c'est la grammaire et <u>prononce</u> parce que pour moi c'est «r» c'est très difficile [rire] (TUFSjpfu2yn1)

「フランス語の学習、それは、ううん、それは難しい。でも、まず、それはとてもおおきな<u>違う</u>、私にとっては。それは、それは、文法と<u>発音する</u>、だから、私にとっ

　ては、それは、「ｒ」、それはとても難しい。」

　文法的な正確さや語彙の適切さ、韻律的なリズムにのっとって話せているか、わかりやすいかという点では、学習者C＞学習者B＞学習者Aという順位になる。一方、談話標識の頻度数でも、学習者C＞学習者B＞学習者Cという順位になる。初級から中級の学習者のレベルにおいては、談話標識をある程度使用できることで、談話を聞いたときのわかりやすさや流暢性が生まれてくると言える。しかしながら、学習者Cと母語話者について比べてみると、こうした流暢性は、もちろん母語話者の方が高いのであるが、談話標識の頻度数は逆に、学習者Cの方が圧倒的に多いことがわかる。上級へと進むにつれて、一度は使用頻度が増えた談話標識が減少していく時期があることが予想される。

4.　談話標識と (非) 流暢性の習得

　CEFR (ヨーロッパ言語共通参照枠) の「流暢性」の能力記述には、よどみなくすらすら話せるということだけではなく、会話を続けるために問題が生じたときに対処する能力も含まれている。具体的には、語の探索、言い誤りの訂正、言いよどみのフィラーなどであるが、こうした方策の学習は初級から始まるとされている。初中級レベルにおいて重視されるべきことは、まず会話を継続することである。なめらかに話し、言い誤りの自己修正などもそれと気づかないほど自然に行われるようになるのは、むしろ、C1 以上の上級レベルの課題である。また、対話者と協働して談話構築をしていくうえでの高度な談話調整能力についても、上級レベルで学ぶという基準が示されている。

　先の調査結果でも見られたように、初級レベルの学習者Aも euh を会話を継続するための方策として使用している。また、中級レベルの学習者Cでは、言いよどみや言い誤りの訂正などが、母語話者よりは多いものの、自分の言いたいことを自分のペースで言い続ける力や、文法構造を意識して話す力がついてきていることが観察される。

　学習者は、上級レベルに移行するに従い、文法的、語彙的な語学力が向上し、言い誤りの数や語彙検索のための言いよどみなどは減少していくことが予想されるので、euh の頻度もそれに従って減っていくかもしれない。そして、オーセンティックなフランス語にも慣れていくならば、そこで耳にするより高度な談話調整機能を持った談話標識の使用がより多く見られるようになるのではないだろうか。それに従い、使用される談話標識の種類に変化がみられ、徐々に、母語話者の談話標識の使用に近づいていくことが予想されるが、今回は上級

レベルの学習者のデータを扱ってはいないため、機会を改めて上級者レベルのデータを検証する必要がある。

5. 結論と今後の展望

　談話標識は、談話調整のために使用されるものであり、会話を継続し、円滑にコミュニケーションを進めていくうえで、学習者が学ばなくてはならない学習項目である。しかしながら、現在の研究の動向の中では、母語話者の使用する談話標識の研究自体がまだ途上にあり、談話標識や談話調整機能の学習に特化した教材の作成への道は長く険しい道のりである。

　頻度が高く、すでに用法記述も行われ、演繹的で明示的な方法で学習できる談話標識 (donc や parce que など) もあるが、それらはごくわずか一部にすぎない。また、談話のタイプや場面シラバスに応じて、談話標識を教室活動の中で教えるということは有効的な方法であると思われるが、実際には、教室で設定できる談話タイプや場面には限りがあるので、ジャンルやレジスターによって細かなバリエーションを見せる談話標識の使い分けを十分に教えることは難しいだろう。

　したがって、学習者がオーセンティックな多様なフランス語に触れて帰納的な学習を進めることができるようにビデオ教材や学習支援ツールなどを作成する必要があると思われる。大切なことは、学習者にフランス語話し言葉の多様性や豊さを意識させ、状況に応じたフランス語の話し方のレパートリーを増やしていくことの大切さを認識させることであろう。談話とは個々の文の寄せ集めではなく、一貫性と対話者への働きかけ、そして、場面や状況の中での適切性を必要とするコミュニケーション単位であることを意識させる必要がある。

　最後に、学習者の談話標識の使用の不自然さや誤用、あるいは、非流暢的な要素といったものは、中間言語の特徴の1つであるので、それらをただちに消し去ることをめざすのではなく、むしろ、学びの段階を示す指標と捉えることが必要であると考える。学習者にとっても、そして、おそらくは、母語話者にとっても、ことばを駆使して、様々な状況に応じてコミュニケーションを成功させる力を身につけることは、到達点の見えない長い学びの過程であることを忘れてはならないだろう。

参考文献

吉島茂・大橋理枝 (他) 訳 (2002).『外国語の学習、教授、評価のためのヨーロッパ共通参照枠 Common European Framework of Reference for Languages: Learning, teaching, assessment 』朝日出版社.

Abouda, L. (2019, November). L'émergence du marqueur méta-discursif du coup. De la conséquence à l'actualisation énonciative. 10ème Journées de Linguistique de Corpus, University of Grenoble Alpes, Grenoble, France.

Akihiro, H. (2018,November). Discourse function of après in French informal conversation. *Conference Proceedings of the 4th Asia Pacific Corpus Linguistic Conference,* 21-28.

Akihiro, H., Kanaan-Caillol, L., & Skrovec, M. (2019). La pragmaticalisation de après à l'oral : une approche micro-diachronique. 10ème Journées de Linguistique de Corpus, University of Grenoble Alpes, Grenoble, France.

Blanche-Benveniste, C. (2010). *Usage de la langue française*. Paris, Louvain : Peeters.

Beeching, K., & Detges, U. (2014). *Discourse Functions at the Left and Right Periphery*. Leiden-Boston:BRILL.

Chanet, C. (2004). Fréquence des marqueurs discursifs en français parlé : quelques problèmes de méthodologie, *Recherches sur le français parlé 18,* 83-106.

Crible, L. (2018). *Discourse Markers and (Dis) fluency, Forms and functions across languages and registers*. Amsterdam : John Benjamins Publishing Company.

Le Draoulec A., (2017). Après moi ce que j'en dis…' L'emploi pragmatique de 'après'. In G. Dostie & F. Lefeuvre (Eds). *Lexique, grammaire, discours Les marqueurs discursifs,* 23-40. Paris : Honoré Champion.

Le Draoulec A., & Rebeyrolle, J. (2018) , « Quand maintenant et après disent (à peu près) la même chose (mais pas de la même façon) ». *Discours,* 22 | 2018. Retrieved on Feburary 18, 2020, from http://journals.openedition.org/discours/9617.

Dostie, G., & Pusch, C.D. (2007). *Les marqueurs discursifs. Langue Française 154*. Paris : Armand Colin.

Gross, G. (1984). Etude syntaxique de deux emplois du mot « coup ». *Linguisticoe Investigationes 8,* 37-61.

Ibrahim, A. K., (1987). « Coup » : mot support d'interprétation aspectuelle en français, In David, J. & Kleiber, G. *Termes massifs et termes comptables, Colloque international de Linguistique,* 125-144. Centre d'Analyse Syntaxique, Université de Metz.

Fedriani, C., & Sansò, A. (eds)(2017). *Pragmatic Markers, Discourse Markers and Modal Particles*. New perspectives. Amsterdam : John Benjamins.

Malm, K. (2011). Une étude de l'expression adverbiale « du coup ». (Master dissertation, Tromsø University). Retrived on Feburary 18, 2020 from https://core.ac.uk/download/pdf/19639349.pdf.

Moeschler, J. (2009). Causalité et argumentation : l'exemple de parce que. *Nouveaux Cahiers de linguistique française 29,* 97-110.

Nielsen, M. (2004) La polysémie et le mot cou (Doctoral dissertation, Åbao Akademi University). Retrived on 23 Feburary, 2020, from https://www.doria.fi/bitstream/handle/10024/4117/TMobjres.26.pdf?sequence=2&isAllowed=y.

Rossari, C., & Jayez, J. (2000). Du coup et les connecteurs de conséquence dans une perspective dynamique. *Linguisticae Investigationes 23,* 303-326.

Paillard, D., & Vu, T.N. (2012). *Inventaire raisonnée des marqueurs discursifs du français, description, comparaison didactique.* Hanoï : Editions de l'Université nationale de Hanoï.

Traugott, E.C. (1995). Subjectification in Grammaticalization. In D. Stein & S. Wright (Eds.), *Subjectivity and Subjectivisation : Linguistic Perspectives,* 31-54. Cambridge: Cambridge University Press.

Traugott, E.C., & Trousdale, G. (2013). *Constructionalization and Constructional Changes.* Oxford: Oxford University Press.

シンポジウム「文未満の非流ちょう性」
講演：多言語失語症者の夫とのゴツゴツ会話の 15 年 [1]

ロコバント靖子

ロコバント　エルンスト

　1944 年、今はロシア領の東プロイセンに生まれる。1976 年、ボン大学文学部博士号取得 (明治前半期に於ける国家神道の法的発展) 1978 年より、OAGドイツ東洋文化協会研究主事、1992 年、東洋大学教授。2005 年、脳梗塞発症、後遺症の失語症のため、2009 年早期退職。専門は日本学：神道、天皇制、政教分離。

ロコバント　靖子 (成瀬)

　1943 年、群馬県桐生市に生まれる。1966 年南山大学文学部、独語学独文学科卒業、1967 〜 1969 年、ハインリヒッヒヘルツ奨学生として、ボン大学留学。専攻ドイツ文学、ドイツ語学、応用言語学。1979 年より、OAGドイツ東洋文化協会で「ドイツ人の為の日本語教室」を開設。以後東京ドイツ学園日本語教師等、ドイツ語母語話者に絞った日本語教育を中心テーマとして現在に至る。

　2005 年、夫が失語症になり、以来バイリンガル失語症者の「壊れたことば」の回復に日本語教育の教材を応用しながら、記録を取り続けている。

　本講演では、夫の「バイリンガル失語症」発症から 15 年にわたって、夫婦が直面した言葉の問題をテーマにした。断片によるコミュニケーションの可能性を探ることと、理解の限界の壁、日本語教材を応用した単語→文節→文への再習得過程、壊れた言葉と暮らす日々とその中での気づきについてお話しした。

　まず失語症の解説として、言語聴覚士 (中野共立病院) である津村恒平氏よりご提供いただいたスライドを用いた。失語症の分類や症状の特徴、発症するとどのような障害が起こるのかについて紹介し、失語症者とのコミュニケーションの重要性とその手掛かりについて提案した。

　講演の最後にロコバント・エルンストより、失語症当事者の言葉として「言葉について尽きることのない不安」について言及があった。

---

1) シンポジウムのロコバントご夫妻によるご講演につきましては、要旨のみの掲載とさせていただきます。

医療現場における日越コミュニケーションの比較

―臨床場面の録画データから (採血場面) ―

西川寛之 (明海大学)

Vu dinh sam (ケーワンテック)

要旨

本研究では、日本とベトナムの医療現場におけるコミュニケーションの共通点や相違点を明らかにすることを目的とし、臨床場面における患者と看護師の会話をデータとして、分析を行う。この研究は、2019 年 5 月に筆者が行ったポスター発表を発展させた研究である。

分析から次のことが明らかとなった。日本における患者と看護師の会話では、看護師が患者に対して、行動の予告と患者へのねぎらいの言葉をかける。一方、ベトナムでは、看護師は患者に対して本人確認と患者に対する指示は行うが、穿刺の予告がない例もある。患者については、日本では、患者が抜針後、看護師に対して感謝の言葉を述べるが、ベトナムでは、抜針後に患者が看護師に感謝の言葉を述べる例は 1 件だけで、抜針後の患者の発話に異なる傾向が見られた。

キーワード：看護師と患者、談話、臨床場面、日越 (ベトナム) 対照、日本語診療能力調査

A Contrastive study of Japanese, Vietnamese discourse in clinical setting Blood sampling scene

The conversations between a nurse and a patient, during blood collection

NISHIKAWA Hiroyuki (Meikai University)

Vu dinh sam (K-ONE TEC)

Abstract

This paper clarifies the communication style between patients and nurses in clinical settings. The purpose of this study is to provide a comparative study of communication in medical practice in Japan and Vietnam. We analyzed video data of conversations between patients and nurses in clinical settings. This research is an extension of the poster presentation made in May 2019.

In the conversation between a patient and a nurse in Japan, the nurse gives advanced notice of an action to the patient and gives words of encouragement and praises the patient before and after the injection. However, in Vietnam, nurses identify patients and give instructions to them, but there is no notice prior to giving the injection in some cases. Japanese patients often show appreciation by thanking the nurses after the needle is removed, but Vietnamese patients rarely thank nurses after the needle is removed. Only one case was recorded during this recording in Vietnam.

Keywords: Nurse and patient, discourse analysis, clinical settings, Japan-Vietnam contrast study, Japanese OSCE

1. 研究の目的

　本研究では、日本とベトナムの臨床場面における会話の実態調査とその比較を目的とする。特に、本稿では採血場面における患者の言語行動に焦点を当て、日本とベトナムの患者のコミュニケーションスタイルを、録画データを資料として分析する。その上で、日越の対照言語学的視点から談話の終結部における言語行動の相違を明らかにする。特に感謝の言葉の使用状況に着目する。

　言語能力の測定に向けた基礎資料として、目標言語のみならず学習者の母語についても、「母語話者間のコミュニケーションに関する実態調査」が必要である。言語の評価の基礎資料として、地域・文化圏におけるコミュニケーションに関する実態を把握することが必要であるという考えである。この研究の結果を日本語コミュニケーション能力の測定、評価、そして教育へつなげたい。

　本研究が取り上げるベトナムにおけるベトナム人（ベトナム育ちの者）の看護師と患者のやり取りと、日本における日本人（日本育ちの者）の看護師と患者のやり取りの相違点を、日本でベトナム人が、ベトナムで日本人がという双方の組み合わせで、看護師と患者の間で起きる問題の予測基礎資料としたい。

2. 研究の背景

　日本がこれまで以上に労働力として外国人の受入れを進める中で、今後、その外国人の生活の質 (QOL) を損なうことがないよう日本語教育による支援も必要となる。Can-Doやタスクなどをキーワードとして、知識よりも言語を用いた行動の達成に焦点が当てられてきてはいるが、評価基準が客観的に示されているわけではない。タスクが達成されたかどうかを母語話者の直感を用いて評価している試験等が存在しているが、実社会の言語の姿に関する研究成果をベースにした評価基準が広く用いられているというわけではない。

　言語教育を行う者の「母語話者の直感 (native intuition)」では充分ではないと考える。なぜならば、言語教育の観点から論じられることが多いコミュニケーション能力の測定であるが、言語教育の中に限られたものではないからである。コミュニケーションが必要な場面は、およそ人間の人生のすべての場面に存在する。日本が今後、外国人、つまり日本語の非母語話者の受入れを進める上で、日本において滞りなく社会生活を営むことができる日本語力があるという評価が必要となると、広く一般的な日本語の能力測定だけでなく、特定の目的に絞った日本語力の測定・評価も必要となる。

　本稿では臨床場面に焦点を当てる。医療関係者に対する言語の評価に関しては、上野 (2005) など、職業遂行上必要な能力の1つとしてコミュニケーション能力の測定の評価基準の開発を行っている。看護師に必要な能力に関して、厚生労働省 (2012, 4) では、「第一に、看護師は、患者から心身の状態に関する情報を的確に得るとともに、患者に必要な情報をわかりやすく伝達することができるよう能力を身に付けていることが基本となっている。」および、「第二に、看護師が行う業務のうち診療の補助については、医師の指示を正確に理解し、患者の状態を把握しながら実行できる能力を保持していることが、医療安全を確保していく上で不可欠なものとなっている。」と、その役割について説明している。上野 (2005, 48) ではより具体的な臨床場面を想定しており、看護師のスキルとして「対人関係能力のある看護師は,患者に安心感,信頼感を与える」と具体的な臨床における必要性を述べた上で、「対人関係の中でのコミュニケーション技法は,傾聴などのカウンセリングの基本にも通ずるものであり、言語的コミュニケーションのみならず、表情やしぐさなどの非言語的コミュニケーションが重要となる」という前置きの下、「次に看護師に必要なコミュニケーションスキルは、対人関係を構築するための技法である」と、業務上必要な行為として対人関係の構築を挙げている。看護師に求められる能力としてコミュニケーション能力が含まれるのと同時に、臨床において患者とのコミュニケーションは避けて通ることができない職務、業務の一環なのである。

　日本語教育とのかかわりでは、外国の医師免許の取得者が日本語の診療能力があるかどうかを確かめる「日本語診療能力調査」がある。「医師国家試験等の受験資格認定の取扱い等について」（平成17年3月24日医政発第0324007号厚生労働省医政局長通知）では、審査対象者を、外国の医学校を卒業し、又は外国において医師免許を得た者とし、医師国家試験受験資格認定を得る手続きとして、書類審査及び日本語診療能力調査の両方の認定基準を満たした者に対して医師国家試験受験資格認定を行うとしている。日本語能力に関しては、日本の中学校及び高等学校を卒業していない者については、日本語能力試験N1（平成21年12月までの認定区分である日本語能力試験1級を含む。）の認定を受けていることとしている。日本語診療能力調査については、日本語を用いて診察するために十分な能力を有しているか否かを調査するとし「具体的には、現病歴や身体所見等の医療情報の収集、検査や治療の計画策定及び診断書の作成等について、日本の医学校において医学の課程を修めた者と同等の能力を有するか否かを調査する。」と定めている。

　この評価項目は、「日常診療において関わる機会の多い主要な症候を呈した患者に対する

医療面接等及び当該診療に関する記述や説明を行い、次の各領域について調査委員 2 名が各々 4 段階 (3 〜 0) の評価を行う。」という形で、「ア) 聴く能力」は「患者等及び医療従事者の話を聴き、内容を正しく理解することができるか。」、「イ) 話す能力」では、「患者等及び医療従事者に診療内容を正確に説明し、理解を得ることができるか。」、「ウ) 書く能力」では、「基本的な医療記録を日本語で適切に作成することができるか。」、「エ) 読み取る能力」では、「日本で使われる医学用語を正しく理解した上で音読することができるか。」、「オ) 診察する能力」では、「患者に対して具体的な説明を行いながら適切に身体所見をとることができるか。また、その所見を医療従事者に適切に説明することができるか。」を見る。

　医療従事者として仕事を行うためには、これらのことが日本語でできることを担保したうえで、看護師等の国家資格を得ることとされている。

　看護師のコミュニケーション能力は、「コミュニケーションスキル測定」「日本語診療能力調査」などで評価や調査を行い、その結果を研修等に反映させることができる。一方で、患者の言語行動、コミュニケーションスキルを伸ばす活動の場は日本語教育以外、考えにくい。

　患者側のコミュニケーションに焦点を当て、日本における医療現場、臨床場面のコミュニケーションと他の地域・文化圏におけるコミュニケーションの実態を記録し、対照研究を行う。その理由は、患者のコミュニケーション能力が看護師の減少につながることが考えられるからである。

　加藤 (2014) では、看護師の仕事に対する動機、やる気につながるものの 1 つとして、臨床場面における患者とのコミュニケーションの影響についても指摘している。患者からの感謝の言葉が看護師として働く上でやる気に影響するという指摘である。

　加藤 (2014, 2) では、研究テーマの説明として、バーンアウト傾向に陥って、働く意欲を失い、仕事を辞めていく看護職が多いという社会的な問題の存在を指摘した上で、看護師という仕事を継続していく上で「達成感」を感じることの重要性を指摘している。看護師に対して面接調査を行い、そのインタビューの中で用いられた言葉の分析を行っている。「やる気がおきたときの構成要素 (上位 20 位) という表の中には、「言われる」が 4 位、一方「やる気をなくしたとき構成要素 (上位 20 位)」では、「言われる」が 2 位に挙げられている。「やる気をなくしたとき構成要素 (上位 20 位)」にはないのだが、「やる気がおきたときの構成要素 (上位 20 位) という表の中には、「言われる」に含まれていると考えられる引用的な表現として「ありがとう」が 20 位にある。患者からの感謝でやる気が高まり、患者からの苦情でやる気が下がる。加藤 (2014) はコミュニケーションに限定したものではないが、看護

師を取り巻く労働環境の１つとして患者からの言葉を取り上げている。

　この患者の言葉が与える影響を考えると、日本語教育が責任をもって担う日本語の測定や評価は、非母語話者だけでなく母語話者の日本語に関しても測定・評価することに関わるべきであると考える。なぜならば、日本の社会構造の中で、日本語母語話者を基準にして非母語話者がそれをめざす、もしくはまねるという方向だけではなく、非母語話者の言語行動が母語話者の言語行動を変えることもあるからである。第一歩としては母語話者が非母語話者の日本語を聞いて理解する力を想定する。

　今後外国人が増え続ける中で、日本育ちの医療従事者が患者に期待するコミュニケーションスタイルとは異なる患者との接触が増えた際に問題が起きないよう、学習者が育った環境にあるコミュニケーションスタイルと現在の日本において想定されるコミュニケーションスタイルの違いを調査することが必要である。このような考えの下、本研究では、「ありがとう」をはじめとした感謝の言葉の使用状況を中心に明らかにする。

3. 研究の方法

　研究の資料として、実際の医療場面（臨床場面）において録画した動画資料を用いる。本研究の特徴として、動画資料がロールプレイ等ではなく、実際に病院等医療施設を訪れた患者と当該医療施設に勤務する医師もしくは看護師が実際に医療行為を行う臨床場面を録画したものであることが挙げられる。

　本稿では臨床場面の採血場面において終結部で感謝の表現をどのように使うかに焦点を当てる。研究に際しては、コミュニケーション能力の評価のために、医療従事者の視点を取り入れる。そのために、研究協力者として看護師経験者の協力を得る。臨床場面の日越のコミュニケーションに関して、現時点の量が限られた資料から一般化して相違について言及するにあたり、インタビュー調査の結果と教材についても触れる。ここでは、言語行動に関して看護師養成の教育に起因するものとそうでないものを区別することも考えている。看護師養成に関わる教育機関での聞き取り調査、教材の分析の結果について意識しつつ、本稿においては、Vu・西川・柳澤 (2019) の検証として、感謝の言葉の使用について、相違点を明らかにすることに主眼を置く。

3.1　臨床場面の録画データ

　日本とベトナムの比較を行うため、日本とベトナムにてデータの収集を行う。各医療機関

の責任者の承諾と協力を得て録画作業を行う。日本では、調査協力者として看護師の経験を持つ住谷氏の協力を得てデータ収集を行う。ベトナムについては、調査協力者として現職の看護師2名（VUONG TRUNG HIEU氏とNGUYEN THI HANG氏）の協力の下、データ収集を行う。

　いずれも、医療機関の責任者に研究についての説明および録画に際しての倫理上の配慮及び手続き、録画の方法についての説明を行い、了承を得たうえで録画作業を実施する。録画に際し、医療機関の責任者の承諾の他、録画対象となる患者、看護師、患者を担当する医師の承諾を得る。

　動画資料収集期間は2018年5月から10月と2019年の8月の2回である。日本での録画については、本研究の執筆者のVuおよび研究協力者の住谷氏が現場に出向き、録画の対象者への説明と承諾書の受け取りを済ませた上で、録画作業を行った。

　ベトナムでは、医療機関の責任者への説明と具体的な動画サンプルを示し医療機関の責任者から承諾を得た。録画に際しては、日本国内において行う録画作業と同様に、録画対象となる医師及び看護師と患者に説明を行い、研究への協力の承諾を得た上で、2018年は協力者が、2019年は西川とVuが録画器材の操作を行い録画した。

3.2　看護師養成教育に関するデータ

　看護師の養成に関わる教育機関で働く指導者・教育者に対する聞き取り調査と、教材の分析を行う。本稿では具体的に触れないが、教材では、今回録画対象とする場面である採血に関する記述を対象として調査を行う。医療現場での看護師の言語行動は、教材における記述と教育者の考えや指導内容が、臨床場面での言語行動に影響を与えている部分がある。ただし、現場で身に付けたりその場に応じて個人で臨機応変に対応することもある。特に、患者への対応では、患者の側の言語行動への臨機応変な対応が求められる。教育の中で、患者への対応について原則や予想されることに対しての指針などが示される一方で、社会文化的な共通認識として理解され、説明されるまでもない、いわゆる「常識的な対応」として期待される対応がある。生まれ育った国や地域に代表される文化圏と異なる地域で、この「常識的な対応」を適切に行うことは容易ではない。具体的な対応方法が明示的に示されないことにより、現場に出た際に医療従事者と患者との間でミスコミュニケーションが発生することもあり得る。

　これらのミスコミュニケーション予防策として、教育の現場でどのような内容が取り扱われているか、教育者がどのように示しているかについて聞き取り調査を行なった。インタ

ビューは、日本国内においては、研究協力者の住谷氏同席の下、2018年8月14日に東邦大学基礎看護学研究室にて基礎教育看護学部教授の菊池麻由美先生に協力を得た。8月27日には一般財団法人自警会東京警察病院看護専門学校の専任教員舛本圭子氏にインタビューを行った。

　ベトナムにおいては、ハノイ医療短期大学の教授NGUYEN THANH PHONG氏、ハノイ医療短期大学のDOAN THI VAN氏、バクマイ医療短期大学のNGUYEN DAT氏にメールを介して質問を行い、回答を得た。

　看護師養成教育に関する調査結果は、本稿で詳細には示さないが、分析結果の背景に関する考察の中で触れることとする。

4.　分析

　調査対象である動画資料の数は、19本、内訳は、日本の医療機関における採血場面の動画5本、ベトナムの医療機関における採血場面の動画14本である。

　日本におけるデータは5本すべて外来患者の採血場面である。ベトナムにおけるデータは、

入院患者に対するベッドに横たわった状態での採血場面が8本、外来患者の採血場面が6本である。この合計19本の動画資料を基に分析を進める。

　動画をデータとして用いる理由は、臨床場面における医療行為と発話のタイミングが明確になることにある。動画には、実際に患者に穿刺し採血をしている間の

＜図1＞　穿刺のタイミング

様子の他、その前後、穿刺の前の会話、採血を終えて抜針した後、止血のテープを貼るところまでが録画されている。発話のタイミングは、看護師の作業の進行状況により大きく5つに区分することができる。

　穿刺前、穿刺時、穿刺後から抜針までの間、抜針時、抜針後の処理の5つの区分である。

「穿刺前」には、採血の実施を含む検査の指示内容に関する確認、検査対象者の名前の確認、機材の準備、アルコール消毒や穿刺する位置の確認、駆血帯を巻くなどの作業がある。「穿刺時」は針を刺す瞬間的な時間である。

　穿刺後から抜針までの間を「採血中」とまとめる。採血の状態や患者の様態の確認など様々な作業があるが、個別の事例で

＜図2＞抜針のタイミング

順序が異なるので１つの時間区分として分析を行う。

「抜針時」は採血が終了し、駆血帯を外すところから、針を体内から抜く瞬間的な時間である。

「抜針後」は、穿刺した後の出血状況の確認、止血のためにテープを貼るなどの処置を終えたところまでとする。

抜針の止血処理の後、数分後に行う止血の状態を確認する等についても採血に伴う一連の医療行為であるが、患者と看護師がいったん離れ、コミュニケーションが途絶える時間があることから、止血の状態を確認するなどの時間はデータに含めない。

本研究では、これら５つのタイミングの区分を前提に、瞬間的な「穿刺時」と「抜針時」をそれぞれ、「穿刺前」と「穿刺後」に含め、「穿刺前」「採血中」「採血後」という３つの区分で分析を行う。これを図示すると、次のようになる。

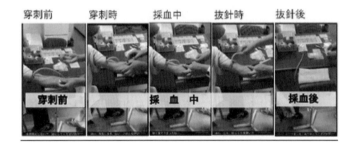

<図3> 発話のタイミングの区分

本稿における考察では、特に抜針時および抜針後の言葉の使用を中心に日越の比較を行う。

分析に際しては、「意味」として、語が持つ意味からの分析と、「機能」として、発話行為として看護師の視点から見た発話意図、発話の効力について観察、分析を行う。

本稿における発話行為としての「機能」の分析対象は、看護師、患者、双方の発話を対象とするが、本稿では、すべての発話ではなく、採血の準備作業および処置に直接かかわる発話を中心とする。採血に関わる準備作業や処置と直接かかわるものに含まれないものを「世間話」とする。穿刺等に伴う痛みやしびれなどの違和感を尋ねる質問は今行っている医療行為の効果や現状を「確認」する発話行為と分類するが、患者から「今日はこのあと、お花を習いに行くんです」などと話しかけられ、それに「どこまで行くんですか？」と応答するようなやり取りは、「世間話」として、今回の分析対象からは除外する。研究協力者である看

護師の住谷氏から、「一見、世間話に見える会話であっても、治療に必要な情報収集の一環であったり、患者の緊張を和らげるための手段であったりする」と、医療現場での情報収集として、情報を得る必要なコミュニケーションであるという説明を受けた。今回の分析過程では、「世間話」という名称の区分を用い、情報収集という臨床における重要な行動であるという認識を持った上で、今回の発話行為の分析に際して対象とせず、「世間話」と一括りにする。尚、発話行為の分類に際しては、看護師の視点から住谷氏のアドバイスを参考にしている。

　発話行為の具体例は、「説明」「質問」「確認」「返答」「指示」「予告」「声掛け」「感謝」で、次の表のとおりである。表には「返答」を入れていないが、返答は指示に対する「うん」「はい」などの他、疑問詞疑問文に対する回答を含む。

＜表１＞　発話行為の分類

表現	意味の分類	機能の分類
わたしは看護師でBといいます。	自己紹介	説明
今朝は何を食べましたか？	質問	質問
お名前言ってもらっていいですか？	許可求め、依頼の表現	確認
痛かったら言ってくださいね。	依頼の表現	確認
かぶれないかなあ？	自問の表現	確認
力を入れてください。	依頼の表現	指示
楽にしてくださいね。	依頼の表現	指示
シールをぺったんします。	行為の説明	予告
チクっとします。	聞き手の感覚の説明	予告
ごめんなさいね。	謝罪の表現	声掛け
はい、すみません。（抜針直後）	謝罪の表現	予告・声掛け
ありがとうございました。	感謝の表現	感謝

以下、「機能」についての定義であるが、1つの発話が複数の機能に分類できるものとする。

　「説明」は、ここでは明示的に応答や相手の行動を求めない表現とする。自己紹介の他、「今日は採血をします」「私が担当します」の類の宣言も含むものとする。

　「質問」は、聞き手に情報の提供を求める表現とする。患者から看護師に対して、「次の検査はどこに行けばいいんでしたっけ？」などの発言がその例である。ただし、応答の内容がすでに聞き手にある場合、「確認」に分類する。例えば、採血に際しては名前を尋ねるが、すでに採血の対象者の名前を知っている状態である。自身が持つ情報に間違いがないことを確認するものは「質問」に含めない。

145

「確認」は、発話者の持つ情報の正確さを判断するために聞き手から情報を引き出すこととする。発話者の判断通り手順を進めることを決断したりするための情報収集を含める。例えば、カルテを見ながら看護師が患者に名前や生年月日を尋ねるもの、作業や処置の手続き上予測される問題についての情報を得るための「しびれはありませんか？」等の質問の表現とする。

「指示」は、聞き手に行動を要求する表現とする。「袖をまくってください。」や「親指を中に入れて握ってください。」などの依頼や、「動かないでね」、「もんじゃだめですよ」など注意を与える等である。

「予告」は、発話者が発話直後に行う処置や作業を聞き手に伝えるものである。採血において典型的な例は、穿刺を行う前の「チクっとしますよ」「ちょっと我慢してくださいね」、などがその例である。

「声掛け」は、情報の伝達よりも感情や気持ちを伝える表現で、安心感を与える、不安を取り除く等を意図した発話である。確認や予告や指示も、患者にとっては不安を取り除く情報となり得る。その他、確認、予告や指示に分類できないもの、例えば「もうちょっと頑張ってね」「もうすぐ終わりますからね」「痛かったですね」などを典型的な「声掛け」として分類する。予告や確認の発話行為と重複することを否定するものではない。採血の臨床場面での録画では、「はい、すみません」などの謝罪の意味を持ち得る表現で、採血の修了を伝える「予告」と、痛みを伴う処置での緊張を解くための「声掛け」の両方に分類される例もあるものとする。

「感謝」は、上記の分類では「声掛け」の一部となるが、本稿での主たる分析対象であることから、特別に「声掛け」の中から取り出し、謝意を述べる表現を用いた声掛けを「感謝」とする。「ありがとうございました」「ありがとう」「どうも」がその例である。

以下、これらの分類で分析した結果の概観をまとめる。

4.1 穿刺前

穿刺前は、患者の本人確認、採血をすることについて確認が行われ、穿刺する部分の消毒、穿刺位置の決定、穿刺の直前までの時間である。

穿刺前についての日本とベトナムの共通点としては、「確認」と「説明」である。患者に対する本人確認、これから採血を行うことの説明等が挙げられる。

相違点で最も特徴的であったのは、「予告」の有無である。日本は穿刺する前に看護師か

ら患者に対して穿刺行為の「予告」のために、痛みを表す表現「チクっとしますよ」や、謝罪の表現ともなる「失礼します」などの表現が用いられている。一方で、ベトナムでは穿刺行為を「予告」する表現も、謝罪となり得る表現も用いられていない。穿刺のタイミングを知らせる発話は行われない。

　今回の調査では、日本では次のような会話が行われ、穿刺直前となる「穿刺前」の最後の部分に該当する「予告」の表現が用いられている。以下、音声スクリプトを示す際に、発話の意図が伝わるように意味の補足を（　）内に、場面や状況の説明を、〈　〉内に記す。

　（1）　穿刺前の会話の一例
　看護師：Aさん病院にも行ったばっかりなのかしら？　心臓の所？（心臓の病院）
　患者　：（病院に行ったのは）19日でした。
　看護師：あっそうですか。
　患者　：あっ違う19日は（習い事の）お花の日だから、12日でした。
　看護師：はい、では、採血しますから、確認のために、お名前を言ってもらっていい
　　　　　ですか？
　患者　：Aです。
　看護師：はい。ありがとうございます。縛りますよ。そのままで大丈夫。うん。はい、
　　　　　親指中に入れて軽く握って、そのままねー、待ってください。
　　　　　〈アルコール消毒をしながら〉かぶれないかな？大丈夫ですねー、消毒ね
　患者　：大丈夫です。
　看護師：はい、わかりました。
　看護師：今日はね、ここ、失礼しますね。チクッとしますよ。

　日本の動画資料では、いずれも痛みを表す「チクっとしますよ」や、謝罪の表現にも使われる「ごめんなさいね」の類の言葉で、穿刺の予告が行われていた。看護師の個人的な癖などではない。動画資料の看護師はすべて同一人物というわけではなく、医療機関も複数である。動画資料を録画した医療機関は2か所、日本の動画資料に録画されている看護師は3名で、いずれも「チクっと」という表現を用いていた。
　一方で、ベトナムのデータでは穿刺に向けた手順として、患者に対する指示が行われているが、穿刺を明示的に予告する表現は14件中2件であった。その表現は、1件は次の通りで、

日本語訳をするならば「少し痛いですね。Aさんね。」という意味になる。

　　　(2) hơi đau một chút .A nhá.

　動画から読み取れるタイミングとしては、穿刺の直前もしくは同時である。ここでは穿刺の直前という判断で「予告」としたが、典型的な予告とはいいがたいものであることを添えておく。もう一件は、日本語訳をするならば「顔を向こうに向けてください」という意味になる表現である。

　　　(3) Anh cứ quay mặt sang bên kia.

　この発言の前までは「世間話」が続き、看護師からの子供が何人いるかという質問に患者が「二人いる」と答えたところで、この (3) の「指示」の発話があり、患者が指示通り顔の向きを変えた直後に穿刺を行った。

　日本における「予告」は、明確に穿刺を行う直前で、「チクっとする」という表現が共通して用いられている。ベトナムでは「予告」が見られたのは 14 件中 1 件で、そのうちの 1 件の (2) は発話のタイミングが穿刺とほぼ同時である。

　この違いについては、看護師養成教育に関するデータ収集 (インタビュー) において取りあげた。日本では、看護学校等の養成・教育の現場でも、「予告」として、「ごめんね」「すみませんね」など、謝罪ともなり得る表現や「チクっとしますよ」という表現を用いて「予告」を行うよう指導していることがわかった。言語を用いて「予告」をすることが看護師への教育の中にあり、さらに、表現の例として「チクっとしますよ」などの表現が紹介されている。この指導と一致する行動が動画資料で確認されたと考えられる。

　ベトナムでは、言語的な「予告」、日本語の「チクっとしますよ」や「失礼します」のような表現を看護師が用いることはない。教育内容として、言語的には「予告」が必要とされていない。実習等の経験や職場においても、看護師が独自の判断で行う可能性は否定されていないが、言語的な「予告」が必要な手順とされていない。看護師は言語的な予告なく穿刺を行い、患者もこのことを了解している様子である。

　この穿刺の「予告」については、看護師に対する教育・指導における日本とベトナムの違いが動画資料に現れたものと考えることができる。

　ベトナムの看護師がベトナムと同じコミュニケーションスタイルによって日本で採血を行うと、患者から看護師に対するコミュニケーション能力の評価が低くなることが考えられる。患者の視点からは、日本に留学中の学生から次のような話を聞いたことがある。「日本の看護師は注射をすることをわざわざ言って、患者をこわがらせる」という否定的な感想である。

　コミュニケーションスタイルの優劣ではなく、看護師と患者のコミュニケーションが円滑に進められるようにすることが本研究の目的である。この「予告」についても、音声による言語的な「予告」の有無の違いという限定的な相違として指摘するものである。

4.2　採血中

　採血中とは、穿刺から抜針までの間である。なお、穿刺および抜針の時間を含むものとする。

　採血中のコミュニケーションにおいては、発話の有無に相違がある。また、看護師の発話に用いられるスピーチレベルも異なる。発話の有無は、日本にある「予告」や「声掛け」がベトナムにはないという相違にもなる。

　日本におけるデータは、「世間話」が含まれる資料が5件中3件、「指示」が含まれる資料が4件（「はい、ゆっくり手、開いて」「はい、ゆっくりね、親指、手、開いて」「ゆっくり、手、開いていってください」「力抜いて、手、開いてください」）、「予告」が含まれる資料が3件（「じゃ、抜きますね」「もうすぐ終わりますよ」「はずします」）、「声掛け」が含まれるものが3件（「ごめんね」「お疲れ様でございました。ごめんね」「ごめんなさい」）であった。

　ベトナムにおけるデータは、14件中11件では「採血中」に発話が一切観察されなかった。残りの3件のうち、2件は入院患者のデータであった。この2件では「世間話」が観察された。他の1件では「世間話」はなく「声掛け」（「痛いですか？」）があった。

　処置中の発話は、日本ではコミュニケーション上、「予告」や「指示」が行われるのに対し、ベトナムでは、言語的なコミュニケーションが見られない例が多く、発話があっても、抜針の「予告」、抜針に際して力を抜くなどの「指示」、いずれも観察されなかった。ただし、動画の中で、看護師が採血を受けている患者の握っている手に触れて、指を開くように促している。処置の手順としては「予告」「指示」がないわけではなく、これらを、音声言語を用いて伝えているか否かの違いである。

　採血中については看護師の態度にも違いが見られる。採血全体を通した傾向として、日本

では看護師が積極的に声をかけ「世間話」をするが、ベトナムでは、そのような態度は見られない。この点についてインタビューを行った。

　看護師養成教育に関するデータ収集のインタビューでは、日本は「やさしく親しみのある話し方をして、緊張を和らげながら、健康状態に影響する食事や睡眠といった生活に関する情報を得る」ことを教育することがあるとのことである。一方、ベトナムでは、話をすることの（「情報収集」の）重要性を理解しつつも、現場において「世間話」は控えるよう指導することもあるという。これに関して、ベトナムと日本との違いに言及するコメントもあった。特に外来では、採血中の部屋のドアが開放された状態で次の患者が列を作り待っていることが一般的であるというコメントである。図4は、今回ベトナムにて調査を行なった中の1つの病院における実際の採血待ちの様子である。立って並んでいる患者の列の先に、イスに座って採血する看護師と患者がいる。採血されている患者と体が触れる距離に順番を待つ患者が立ち、採血の様子を見ている。ここで看護師と患者が「世間話」をしているのを見ると、「早くしろ」と急かされることもあるため、採血中であっても、「世間話」は避けるよう教育するとの説明である。

<図4>　外来患者の採血場面

データ収集の録画作業の際にも、調査中に現場の看護師への聞取りを行なった際に、このことについて質問をした。その際の回答は、「患者の情報を収集しながら、患者の緊張を和らげる世間話もしたいが、その習慣がないため、話し始めると患者が話し続けてしまうこともある。入院患者であれば、少しは世間話で緊張を和らげる工夫をすることもある。」というものであった。複数の関係や、看護部長等にも採血中の発話について尋ねたところ、同様に、外来の患者の採血中には話をしないように意識しているということであった。

　2つ目の相違点は、日本の看護師が患者に話しかける際に敬語を用いた表現だけでなく、くだけた話し方をする点である。ベトナムでは、看護師養成教育においては、敬語（丁寧な表現）を使うことが求められる。日本では、くだけた表現を織り交ぜながら患者と会話することが、意図的に行われているが、ベトナムの常識からみると、不思議な光景に見える。患者の立場から見ると、敬語を使わなければ、その看護師が礼節を欠いた態度であるという評価を受けるとのコメントもあった。「呼びかけ」の言葉から、「世間話」まで、いずれもベトナムでは敬語で話すよう教育されており、現場でも徹底されている。

　3つ目は、ベトナムでは「予告」がないことである。採血が終わること、つまり抜針の予告について、日本では言語的な「予告」がなされる。発話の観察では日本では「予告」が行われ、ベトナムでは「予告」が行われない傾向が見てとれる。ただし、動画資料から看護師の行動を観察すると、看護師が抜針前に患者が握っている手を開くよう患者の指先に手を触れて合図をしている様子が映っている。このことから、抜針の予告と抜針のために力を抜くように指示する行為があることは両国共通していることがわかる。相違点としては、「言語的な予告」を好む日本と、「身体的な合図による予告」を好むベトナム、というスタイルの違いが挙げられる。

4.3　採血後

　採血後は、抜針後から止血のテープを貼る、もしくは、綿などを用いて指で圧迫するなど、止血の処置がとられるところまでの時間である。

　採血後のコミュニケーションでは、看護師からの、抜針のあとを患者が指で押さえるよう「指示」がある。日本では言語的な指示が行われるのに対し、ベトナムでは、看護師が綿を置いて抜針した直後に、「指示」がなくても患者が綿を押さえる。看護師が綿を腕に置くという行為が「指示」となっていて、動作で綿を押さえるよう促される。ベトナムで言語的な指示があったのは半数で、14件中7件（日本語に訳すと「ここを押さえていてください」「腕を曲げていていください」等）であった。

　採血後、その場を看護師もしくは患者が離れるタイミングで、日本では5件中4件の患者が「感謝」の声掛け（「どうもありがとうございました」「ありがとうございます」「ありがとう」「どうも」）を行っている。一方、ベトナムでは、「感謝」の発話はほとんど見られない。14件中1件のみ「感謝」の発話が見られるが、13件には見られず、さらにそのうちの9件がまったくの無言である。

　このことから、ベトナムの社会常識として患者からの「感謝」をこの場面で言語化しない傾向があることが指摘できる。

　この「感謝」がないことと関連して、直前の看護師の発話にも違いが見られる。

　日本では看護師から「指示」（「あと、お会計ね」「お風呂に入るとき、はずしてね」「気を付けてね」「受付でお待ちください」）の発話がある。これらの言葉の後に患者から「感謝」の発話がある。

　ベトナムでは、看護師から「của chú xong rồi nhé.（終わりましたね）」の類の発話例も5

件あるが、患者がこれに答える「dạ vâng（はい）」という返事をしたものが 2 件、患者からの返事がないものが 3 件。最後の部分で、看護師も患者も無言のまま終わる例が 4 件あった。

　このことについて、看護師養成教育に関する調査として行ったインタビューで質問をした。日本では、ねぎらいの声掛けをするよう、実習の現場で指導を受けるとのことである。患者の発話に関しては、経験的には、ほとんどの患者が採血の処置が終わったタイミングで感謝の言葉を発するというコメントがあった。

　ベトナムでのインタビューでは「ベトナムでは看護師が行う採血の処置は治療の過程であると考える。治療が終わっているわけではない。患者は治療が終わったタイミングで感謝の言葉を述べるという考えがあるためだろう。」「現場の看護師は患者からの感謝の言葉への期待はなく、患者もそれを言う場面だとは考えていない」とのことである。

　看護師養成教育に関する調査の中では、ベトナムでも患者に対して採血の際に声掛けをするよう指導するという回答もあった。この点については、指導・教育の内容が反映された結果である可能性や、現場における対応として指導・教育と異なる対応をしている可能性について調査する必要がある。

　患者側は、日本では患者が「感謝」の言葉を発するが、ベトナムでは日本と比較し、患者が「感謝」の言葉を言わない傾向がある。

4.4　採血場面全体を通して

　敬語の使用に関する違いがみられた。ベトナムの医療現場での「声掛け」については、看護師養成教育に関する調査において、「看護師が患者に声掛けをする際には、常に敬語を使うよう指導する」という回答があった。今回の動画資料を敬語の使用について分析すると、日本とベトナムで異なる傾向があることがわかる。

　患者とやりとりの中で「世間話」を情報収集等の目的で用いる日本では、敬語を用いた会話を回避して意図的にくだけた話し方をしている。これに対し、ベトナムでは看護師が患者に対して話す際には、常に敬語で話す。このことについて、日本における聞き取り調査では、「患者が看護師に言いづらいことも言える環境を作るために普通語を使うが、普通語ばかりだと、患者に対して失礼な印象を与えるため、敬語と普通語を混ぜて話す」という説明があった。

　ベトナムでは採血中の状態についての確認などでくだけた言葉が用いられることはなく、看護師の発話は常に敬語である。さらに、患者の応答も敬語や丁寧な表現である傾向がある。

「世間話」の有無、敬語とくだけた言葉の使い分け、これらについては、「穿刺前」「採血中」「抜針後」、3つの場面に共通する違いでもある。

5. まとめ

　日本とベトナムの臨床場面、特に採血場面におけるコミュニケーションを、実際の動画資料から分析した。本稿の目的とした「感謝」の有無では、明確に異なる傾向が見られた。その背景には、期待されるコミュニケーションスタイルの違いがある。医療機関の中の環境、患者の動きなどがコミュニケーションスタイルに影響していると考えられる。

　日本では、待っている患者が採血中の看護師と患者の会話に参加できない距離にいて、さらには扉などで物理的に遮られていることもある。ベトナムと比較して、他者に話を聞かれる可能性が低いことが、発話量を増やす要因になり得る。ベトナムでは、採血をしているすぐ横に次の患者が立って待っていて、採血している様子を見ている。そこでの会話が他の患者に筒抜けとなる状況である。このことが、発話量を減らす要因になっているとも考えられる。

　一人の患者にかける時間の差も影響していることも考えられる。「感謝」に関して、ベトナムの環境では、採血が終わった後に患者がその場にとどまり話をするよりも、次の患者に場所を譲るために、その場を早く立ち去る方が「配慮があり礼儀正しい態度」である可能性もある。これがベトナムのコミュニケーションスタイルの1つとして認知されていると考えれば、入院中の患者においても「感謝」がないことが説明できる。

　コミュニケーションスタイルとして認知されているのであれば、看護師がこの場面において「感謝」を期待することもなく、患者の発話に「感謝」がないことで看護師が落胆することもない。一方で、日本では、採血に際して患者が言葉で「感謝」を表現する傾向が強いことがわかった。このことから、看護師が患者からの「感謝」を予期していることが考えられる。

　今後、看護師のコミュニケーション能力に、日本育ちではない患者とのコミュニケーション力が求められるようになった時には、これらの文化的なコミュニケーションスタイルの相違は、知識として必要になる。「母語話者が非母語話者の日本語を聞いて理解する力」を支える知識となる。

　コミュニケーションスタイルの比較では、日本とベトナムでは以下の点で異なる傾向がみられた。(1) 穿刺前は、日本においては穿刺に際し「指示」「予告」が行われるが、ベトナムでは行われない。(2) 採血中は、日本においては「声掛け」「指示」が行われるが、ベト

ナムでは行われない。 (3) 採血後は、日本では患者からの感謝そして看護師からそれに対する応答が見られるが、ベトナムで「感謝」「応答」という対になる発話は見られない。

　全体を通しては、(4) 看護師と患者のコミュニケーション上用いられる表現は、日本では意図的に敬語を避けて、くだけた表現を織り交ぜたコミュニケーションが行われるが、ベトナムでは敬語を用いたコミュニケーションが標準とされる。 (5) 日本では看護師から積極的に「世間話」を行う傾向があり、ベトナムでは「世間話」を行わない。

　これらのポイントを、共通点も含め一覧にすると以下のとおりである。

　表の左から順に、採血の処置を時間軸にしたタイミング、「機能」そして、その「機能」を持つ発話の有無の傾向を日本、ベトナムという国別に、「あり」「なし」、発話量についてのみ、「多い」「少ない」とした。

<表2> 発話行為の傾向一覧

タイミング	機能	日本	ベトナム
穿刺前	「確認」	あり	あり
穿刺前	「説明」	あり	あり
穿刺前	「指示」	あり	なし
穿刺前	「予告」(穿刺)	あり	なし
採血中	「声掛け」	あり	なし
採血中	「確認」	あり	なし
採血中	「指示」	あり	なし
採血中	「予告」(抜針)	あり	なし
抜針後	「声掛け」(ねぎらい)	あり	なし
抜針後	「指示」	あり	なし
抜針後	「感謝」＊患者から	あり	なし
全体	敬語の使用	あり	あり
全体	くだけた表現	あり	なし
全体	発話量	多い	少ない

　仕事や生活上の日本語に困らない者であっても、患者としてベトナムのスタイルで日本の

医療機関にかかれば、「感謝」の言葉を発するべきタイミングにそれがないことで、コミュニケーション上の失敗となることもある。「感謝」の有無に気づかず、印象として「失礼な人」と評価されるかもしれない。日本のスタイルでベトナムの医療機関にかかれば、看護師の態度に失望する可能性もある。場合によっては、排除されている、差別されているという誤解をする可能性もある。

　ベトナム人看護師が日本で働く場合には、これらの違いについて明示的な教育や説明が必要である。日本人看護師がベトナム人の患者に対して対応する際にも、この違いについて知ることは大きな意味があるものであると考える。

6.　今後の課題

　「外国人材」の受入れが進む現在、個別の場面における研究をさらに進め、看護師受け入れ時の研修を含む看護師養成教育をはじめとした個別の業種業界に応用できる研究成果を社会に提供する必要がある。

　一案を示すと、日本語診療能力調査に組み込まれているロールプレイの評価基準への活用がある。さまざまな患者に対応する力や、医療従事者として日本の患者が期待する行動様式に合わせた対応を基準に評価する際に応用することも考えられる。本稿の研究成果からであれば、日本の患者が言語的に「感謝」を表したいという欲求を持っていることを理解していることを評価する。患者が「感謝」の発話ができるようタイミングを作ることができるか否かを評価基準に組み込む、等である。

　日本における人口について、国籍で見ても2%が外国人となっている現在、現場で働く看護師は、すでに多くの"外国人"の患者に処置を行った経験もあると考えられる。この研究を進める中で、複数の現場の看護師や医師、関係者から、「外国人にできるだけ合わせて対応をしている」という言葉を繰り返し聞いた。この努力の成果をより大きなものとするために「母語話者が非母語話者の日本語を聞いて理解する力」を伸ばす知識・情報として提供していくことが、これからの課題である。

　プロフィシェンシーの視点として、「タスク」の達成などを一例に挙げれば、言語ごとと、社会文化ごとに期待される行動様式があることを意識した評価を行う必要があり、その評価の指標、基準として、社会や文化が期待する行動様式を調査し明らかにした結果を用いる必要がある。

　教育の面からは、教育機関内の教育では不十分な点をOJTとして臨床現場で経験を通し

て、患者が期待するコミュニケーションスタイルを身に付けるという方法も考えられる。しかし、その前の段階で、知識として明示的な指導があれば、教育効果を高くすることができるだろう。

　看護師として働く人材の確保という視点からは、現在働いているマンパワーを大切にするためにも、今後増えることが予想されるいわゆる"外国人"の患者のコミュニケーションスタイルを知ることも重要である。「母語話者が非母語話者の日本語を聞いて理解する力」の涵養である。患者の「感謝」の言葉が労働意欲に影響を与えるとするならば、「感謝」の言葉を発するタイミングや、感謝の気持ちの表現の仕方の違いについて知り、理解することが、加藤 (2014) が指摘する「バーンアウト」を防ぐことにつながると期待する。

　データの収集を継続しながら、看護師育成教育に関わる調査、教材の分析を今後も継続して行いたい。

参考文献

上野栄一 (2005).「看護師における患者とのコミュニケーションスキル測定尺度の開発」『日本看護科学会誌』25 (2) ,47-55.日本看護科学学会.

内田圭子 (1990).「青年の生活感情に関する一研究」『教育心理学研究』38,117-125.日本教育心理学会.

加藤栄子 (2014).『看護職者におけるバーンアウトの形成因』(新潟大学博士論文)

倉田義大・新井邦二郎 (2015).「感謝感受性ならびに感謝表現の尺度作成と心理的機能の研究」『東京成徳大学臨床心理学研究』15,1-8. 東京成徳大学大学院心理学研究科.

厚生労働省 (2012).「看護師国家試験における母国語・英語での試験とコミュニケーション能力試験の併用に関する検討会報告書」厚生労働省.

三輪聖恵・志自岐康子・習田明裕 (2010).「新卒看護師の職場適応に関連する要因に関する研究」『日本保健科学学会誌』12 (4), 211-220, 2010, 日本保健科学学会.

Vu dinh sam・西川寛之・柳澤好昭 (2019年5月).「日越コミュニケーションの研究―看護師と患者の談話 (採血場面) ―」日本語教育学会春季大会ポスター発表, つくば国際会議場.

Gregory V. G. O'DOWD (2016). Doctor-Patient Discourse: Preparing for Intercultural Medical Communication. 医師と患者の談話:異文化医療コミュニケーションの準備, 浜松医科大学紀要 一般教育 第30号, pp45-55,浜松医科大学.

謝辞

本研究を進めるにあたり、適切な助言を賜り、また丁寧にご指導くださった住谷妙子さんに深く感謝申し上げます。
そして、貴重な情報を頂き、協力を頂いた以下の皆様

医療機関：医療法人さくら　さくら記念病院　看護部長　田中義子様
医療機関：医僚法人慈英会病院　理事長　前田清貴様
東邦大学　看護学部：基礎看護学教授　菊池麻由美様
東京警察病院看護専門学校：専任教員　舛本圭子様
ハノイ医療短期大学：教授 NGUYEN THANH PHONG 様 , 教授 DOAN THI VAN 様
バクマイ医療短期大学：教授 NGUYEN DAT 様
VIET DUC 医療法人病院：VUONG TRUNG HIEU 様
LUONG TAI 医療法人病院：VU THI HANG 様

に深く感謝申し上げます。
また、動画の撮影をはじめ、分析対象としたデータ提供にご協力くださった皆様にお礼申し上げます。
ありがとうございました。

彙報

事務局

◆ 2019 年度活動報告

(1) 研究例会

2019 年度は以下 2 回の研究例会を開催した。

第 1 回

開催日時：2019 年 6 月 22 日（土）13:30-17:40

場所：京都外国語大 8 号館 4 階 844 教室

参加者数：59 名

第 2 回

開催日時：2020 年 1 月 11 日（土）13:30-17:40

場所：京都外国語大学 8 号館 6 階 863 教室

参加者数：67 名

(2) 日本語音声コミュニケーション学会と共催で研究大会「おもしろうて やがて非流ちょうな 京の午後」を行った。

開催日時：2019 年 10 月 5 日（土）13:00-17:00

場所：京都大学文学研究科 2 階第 7 講義室

参加人数：46 名

◆ 2020 年度活動計画

以下の日程で研究例会を開催する予定である。プログラムの詳細は未定。

第 1 回　2020 年 6 月 27 日（土）　@京都外国語大学

第 2 回　2021 年 1 月 9 日（土）　@京都外国語大学

第 3 回　2021 年 3 月 27 日（土）-28 日（日）　@三保園ホテル（静岡市）

ニューズレター

◆日本語プロフィシェンシー研究学会　ニューズレター第7号
2019年度第1回研究例会・総会
日 時：2019年6月22日（土）13:30-17:40
場 所：京都外国語大学452教室

▼プログラム
13:30-13:40　会長挨拶

13:40-15:10　講演
「日本語プロフィシェンシーとオノマトペ」
岩﨑典子氏（南山大学）

15:20-16:00　研究発表
「面白い話が本当に面白い話になるために必要なこと」
小玉安恵氏（カリフォルニア州立大学サンノゼ校）

16:10-17:20　ブラッシュアップセッション
テープ提供者：権藤早千葉氏

17:20-17:40　総会

◆日本語プロフィシェンシー研究学会　ニューズレター臨時増刊号
日本語プロフィシェンシー研究学会・日本語音声コミュニケーション学会
第2回合同大会（通称「おもしろうて やがて非流ちょうな 京の午後」）報告
日時：2019年10月5日（土）13:00 〜 17:00
会場：京都大学文学研究科2階 第7講義室

▼プログラム
13:00-13:05　開会の辞
13:05-14:45　研究発表
1.「日本語学習者のおもしろい話は面白いのか―マルチモーダル・コミュニケーションの観点からの分析―」
　アンディニ・プトリ氏（金沢大学大学院）・松田真希子氏（金沢大学）
2.「発話末に見る日本語母語話者の非流暢性―日本語学習者用教科書にない中途終了発話―」
　伊藤亜紀氏（名古屋大学大学院）
3.「自立語がない『寄り添い』発話」
　定延利之氏（京都大学）

4.「フランス語の談話標識と非流暢性」
　　秋廣尚恵氏（東京外国語大学）

15:00-16:55　シンポジウム「文未満の非流ちょう性」
趣旨説明　定延利之氏
講演　ロコバント靖子氏＆エルンスト・ロコバント氏
ディスカッション　コメンテータ　林良子氏（神戸大学）
閉会の辞

◆日本語プロフィシェンシー研究学会　ニューズレター第8号
2019年度第2回研究例会
日時：2020年1月11日（土）13:30-17:40
場所：京都外国語大学8号館　863教室

▼プログラム
13:30 〜 13:40　会長挨拶

13:40-15:10　講演
「あなたの知らない世界 独習者たちの実像」
村上吉文氏（国際交流基金日本語上級専門家　アルバータ州教育省派遣）
※ Zoom による配信も実施

15:20-16:50　特別企画
「深堀り　独習者たちの実像にさらに迫る」

17:00-17:40　研究発表
「日本語教員による作文の内容に関する評価要因」
安達万里江氏（関西学院大学／京都外国語大学博士後期課程）

ブラッシュアップセッション検討委員会

◆ 2019 年度第 1 回研究例会
「OPI ブラッシュアップセッション」　テープ提供者：権藤早千葉氏
▼ 趣旨
今回は rating に重きを置かず、インタビューを聞き、「突き上げにくい話題 (相手) に対して、超級の突き上げタスクをどのように与えていけばいいか」を具体的に考えることを目的として、セッションを行った。
▼ 概要
通常通りインタビューを聞いた後で、グループに分かれ、突き上げがうまくいかなかった話題部分の音声データを google drive で共有し、繰り返し聞きながら、「この話題展開からどうすれば、より良い超級の突き上げができるか」を具体的に話し合い、web サイト padlet で各グループの突き上げのアイデアを共有、全体で議論を深めた。インタビューの中でテスターも思わぬ方向に話題が広がった時、被験者に質問を回避されたとき、具体的にどうすればよいか、短い時間の中で活発な議論が行われた。

◆ 2019 年度第 2 回研究例会
※第 2 回研究例会では、講演に関する特別企画を行なったため、ブラッシュアップセッションは実施しなかった。

ジャーナル編集委員会
●『日本語プロフィシェンシー研究』9 号投稿論文の募集について
日本語プロフィシェンシー研究学会では、研究誌『日本語プロフィシェンシー研究』9号を 2021 年 6 月に発行します。第 9 号の投稿論文は、2020 年 7 月初旬より原稿の募集を開始します。『日本語プロフィシェンシー研究』9 号、論文等の投稿要領、投稿手続きの詳細は研究学会ホームページをご確認ください。

●『日本語プロフィシェンシー研究』9 号の配布について
日本語プロフィシェンシー研究学会では、会費を納入した年度より、例会の発表応募や研究誌『日本語プロフィシェンシー研究』への投稿権利が得られます。また、会費を納入した翌年度に発行される研究誌を 1 冊お受け取りいただけます。

会計

2019 年度の会計支出は、当研究学会の運営費用、例会開催費用、ジャーナル発行・送付費用等でした（詳細報告は 2020 年 6 月総会で行います）。当研究学会では会員様からの年会費を活動資金とさせていただいております。ご理解を賜り、年会費納入にご協力くださいますようお願いいたします。

● 会費納入方法
年会費：3000 円（4 月始まりの 1 年間）
口座：三菱 UFJ 銀行　八戸ノ里支店　店番 236
ニホンゴプロフイシエンシーケンキユウガツカイ　サカウエアヤコ
（日本語プロフィシェンシー研究学会　事務局長　阪上彩子）
口座番号：0032175

お振込の際、以下のような場合は、お手数ですが、kaikei@proficiency.jp までご連絡ください。
(1) 振込人（引落口座）のお名前がご本人と異なる場合
(2) 領収書が必要な場合

年会費の支払い状況についてご不明の場合は、kaiin@proficiency.jp までお問い合わせください。

『日本語プロフィシェンシー研究』バックナンバー

『日本語プロフィシェンシー研究』 創刊号

【寄稿】

鎌田修　　「プロフィシェンシーとは」

嶋田和子　「教師教育とプロフィシェンシー
　　　　　　　―OPI を「教師力アップ」にいかす―」

伊東祐郎　「評価とプロフィシェンシー」

由井紀久子「ライティングのプロフィシェンシー向上を目指した日本語教育教材」

川口義一　「プロフィシェンシーと対話
　　　　　　　―プロフィシェンシー言語教育における教室の位置づけ」

齊藤あづさ・榊原芳美
　　　　　　「短期留学における自律学習と協働学習の試み
　　　　　　　―笑顔と達成感をめざして―」

【研究論文】

坂口昌子　「日本語母語話者に対する日本語教育
　　　　　　　―話すことに関しての教育効果―」

【展望論文】

麻生迪子　「処理水準仮説に基づく未知語語彙学習
　　　　　　　―韓国人日本語学習者を対象に―」

【調査報告・展望論文】

萩原孝恵　「依頼場面の談話分析
　　　　　　　―タイ人日本語学習者は借りた DVD の返却日をどう延ばすか―」

【実践報告】

木村かおり「多文化社会における異文化間言語学習能力を考える
　　　　　　　―おにぎりプロジェクトをとおして―」

『日本語プロフィシェンシー研究』 第 2 号

【特集】

野山広　　「地域日本語教育とプロフィシェンシー」

野山広・森本郁代
　　　　　　「地域に定住する外国人に対する OPI の枠組みを活用した縦断調査の調査か
　　　　　　らみえてきたこと
　　　　　　　―多人数による話し合い場面構築の可能性を探りながら―」

嶋田和子　「定住外国人に対する縦断調査で見えてきたこと
　　　　　　　―OPI を通して「自らの声を発すること」をめざす―」

岡田達也　「基礎 2 級技能検定学科試験問題 "テニヲバ ノート"」

櫻井千穂・中島和子
　　　　　　「多文化多言語環境に育つ子ども（CLD 児）の読書力をどう捉え，どう育てるか
　　　　　　　　―対話型読書力評価（DRA）の開発を通して得た視座を中心に―」
新矢麻紀子「定住外国人のリテラシー獲得に向けた学習支援とプロフィシェンシー」
【書評】
堤良一　　　「趣旨説明：プロフィシェンシーを重視したテキスト」
白石佳和　　「cannot-do から can-do へ　―『できる日本語』と評価―」
佐久間みのり「『できる日本語』を通じた日本語学校における教室活動の再考
　　　　　　　　―プロフィシェンシーを重視した日本語教育現場の新たな可能性―」
奥野由紀子「『新・生きた素材で学ぶ中級から上級への日本語』
　　　　　　　　―実際の使用とワークブックの開発まで」
一条初枝　　「『「大学生」になるための日本語』は何を教えたか
　　　　　　　　―日本語学校の現場から―」

『日本語プロフィシェンシー研究　第 3 号』
【研究論文】
権藤早千葉・花田敦子
　　　　　　「日本語予備教育における定期的 OPI 実施が学習動機に与える影響
　　　　　　　　―学習者の発話データを基に―」
金庭久美子・金蘭美
　　　　　　「書き言葉の資料に見られる読み手配慮と文化的能力」
【研究ノート】
奥野由紀子・山森理恵
　　　　　　「「励まし」の手紙文における文末文体への教室指導
　　　　　　　　―「タスク中心の教授法 (TBLT)」の観点を取り入れて―」
太田悠紀子「「ちょっと…」の機能と断り指導」

『日本語プロフィシェンシー研究　第 4 号』
【研究論文】
萩原孝恵・池谷清美
　　　　　　「集中的に舌打ちを発したタイ人日本語学習者の発話に関する一考察」
滝井未来　　「学習者の語りを通じて見る学習意欲とビリーフ変容
　　　　　　　　―タイ人学習者を取り巻く社会との関わりから―」
范一楠　　　「情報獲得の際の「そうですか」と「そうなんですか」」
村田晶子　　「社会的行為としての OPI インタビュー活動の可能性」
高橋千代枝「日本語の発話行為「助言」の談話構造に関する一考察
　　　　　　　　―母語話者ロールプレイの会話分析から―」
麻生迪子　　「多義語派生義理解の知識源に関する考察
　　　　　　　　―韓国人日本語学習者を対象に―」
伊東克洋　　「非直接的フィードバックと自己訂正率
　　　　　　　　―初級日本語学習者によるコーパス分析の可能性―」

【研究ノート】

西部由佳・岩佐詩子・金庭久美子・萩原孝恵・水上由美・奥村圭子
　　　　「OPI における話題転換の方法
　　　　　　―上級話者と中級話者に対するテスターの関わり方に着目して―」
安高紀子　「対話者とのやりとりの有無が談話構造に与える影響」
宮永愛子　「日本語学習者の雑談における協働的な語り
　　　　　　―効果的な語りを行うために―」

【第 10 回国際 OPI シンポジウム】
パネルディスカッション　＜日本語教育に求められる多様なつながり＞
　　　　　　鎌田修・春原憲一郎・定延利之・嶋田和子・大津由紀雄・當作靖彦
　　　　　　研究発表要旨

『日本語プロフィシェンシー研究』　第 5 号

【寄稿論文】
山梨正明　「認知言語学と知の探求　―言語科学の新展開！―」
清水崇文　「語用論研究の知見に基づいたコミュニケーションスキルの指導」
山森理絵・鎌田修
　　　　「生素材の教材化、その楽しさと苦しさ―リスニング教材の作成を一例に―」
【研究論文】
嶋田和子　「スクリプトで評価すること」から見る言語教育観
　　　　　　―「話の組み立て」と「文」のとらえ方―」
【JALP・「面白い話」研究プロジェクト共同開催】
　　　　「プロフィシェンシーと語りの面白さ」第 2 回研究集会
　　　　　　定延利之・岩本和子・楯岡求美・林良子・金田純平・Gøran Vaage・三井久美
　　　　　　子・鎌田修

『日本語プロフィシェンシー研究』　第 6 号

【寄稿論文】
鎌田修　　「新生日本語プロフィシェンシー研究学会
　　　　　　―その成り立ちと今後に寄せる期待―」
嶋田和子　「アブディン氏との OPI を通して学んだこと
　　　　　　―見えるからこそ見えていない「大切なこと」―」
森篤嗣　　「日本語能力の評価と測定
　　　　　　―作文におけるパフォーマンス評価と質的評価・量的測定を例に―」
【研究論文】
木下謙朗　「形容表現におけるプロフィシェンシー
　　　　　　―韓国語母語話者の縦断データに基づいて―」
大隈紀子・堀恵子「上・超級話者の発話を引き出すための談話展開と効果的な質問」
【JALP　これまでのあゆみ】
　　　　　　鎌田修・藤川多津子・岡田達也・服部和子・嶋田和子・和泉元千春
　　　　　　【2017 年度日本語プロフィシェンシー研究学会第 3 回例会　春合宿（京都嵐

山「花のいえ」) 研究発表要旨】
富岡史子・長谷川由香・東健太郎・舟橋宏代・渡辺祥子

『日本語プロフィシェンシー研究』 第7号
【寄稿論文】
坂本正　　　　「初級日本語教科書の練習問題をめぐって」
【研究論文】
李在鎬・伊東祐郎・鎌田修・坂本正・嶋田和子・西川寛之・野山広・六川雅彦・
由井紀久子　　「日本語口語能力テスト「JOPT」開発と予備調査」
金庭久美子・村田裕美子
　　　　　　「「問い合わせ」のメール文におけるドイツ語母語話者の使用状況」
【調査報告】
濱畑靜香・持田祐美子
　　　　　「質問意図からみる「どう・どんな質問」の効果的な発話抽出方法の提案
　　　　　　　―OPIテスター訓練生のインタビューから―」
【研究ノート】
矢野和歌子　「中国語母語話者及び韓国語母語話者の引用表現の習得
　　　　　　　―発話コーパス『C-JAS』に基づく縦断的研究」
【日本語プロフィシェンシー研究学会、日本語音声コミュニケーション学会、文部科学
省科研費プロジェクト基盤B「対話合成実験に基づく、話の面白さが生きる「間」の研究」
共同開催研究大会「面白い話と間、プロフィシェンシー」研究発表要旨】
林良子・宿利由希子・ヴォーゲ ヨーラン・羅希・定延利之・仁科陽江・岩崎典子・
五十嵐小優粒
【2018年度日本語プロフィシェンシー研究学会第3回例会　春合宿（柳川温泉かんぽの宿）
研究発表要旨】
山辺真理子・小原寿美・S.M.D.T. ランブクピティヤ・溝部エリ子・小山宣子・立部文崇・
鎌田修・由井紀久子・廣澤周一・池田隆介・定延利之

—日本語プロフィシェンシー研究学会　2019 年度役員・委員—

会長　　　　　鎌田修
副会長　　　　由井紀久子　堤良一
事務局長　　　東健太郎
副事務局長　　阪上彩子
会長補佐・企画　定延利之　松田真希子　岩﨑典子
監査　　　　　野山広
顧問　　　　　嶋田和子　伊東祐郎

ジャーナル編集委員会
五十嵐小優粒　立部文崇　杉本香　長谷川哲子　溝部エリ子　岩出雪乃

ニューズレター編集委員会
廣利正代　野畑理佳　笠井陽介　渡辺祥子　高智子

会計
三井久美子　尾沼玄也　五十嵐小優粒

研究集会委員会
白鳥文子　上谷崇之　范一楠

合宿運営委員
上宮真理子

地区連絡委員会
池田隆介　西川寛之　伊藤亜紀　楊帆　林智子　横田隆志

広報委員会
廣澤周一　東健太郎　尾沼玄也

ブラッシュアップ委員会
東健太郎　上谷崇之　笠井陽介

【編集後記】

　このたびは、JALP ジャーナル『日本語プロフィシェンシー研究』第 8 号をお手に取ってくださいまして、誠にありがとうございます。

　今号は、投稿件数ゼロという、創刊以来初めての事態から編集作業が始まりました。ジャーナル編集委員会をはじめ、JALP 運営委員会でも、休刊という選択よりも日本語プロフィシェンシー研究をより活性化させようという方針のもとで議論・審議を重ねた結果、「発表論文」を 6 本、「シンポジウム要旨」を 1 本、「依頼論文」を 1 本掲載することとなりました。

　「発表論文」および「シンポジウム要旨」とは、日本語プロフィシェンシー研究学会の例会および、日本語プロフィシェンシー研究学会・日本語音声コミュニケーション学会 第 2 回合同大会にて発表された論考を加筆・修正したものを指します。これまで本学会および協力体制にある学会において特に優れたものであるとジャーナル編集委員会が認めたものを掲載しております。

　また、「依頼論文」は、ジャーナル編集委員会より執筆者の方に原稿提供を依頼し、他学会で発表された内容に加筆・修正した「調査報告」としてご提供いただいたものです。

　今号は、上記のように、複数の方々のお力添えがあって無事に発行できましたが、学会誌は本来、学会員同士がその研究成果を出し合い、切磋琢磨する場であります。第 9 号も 2020 年 7 月中旬より原稿の募集開始となりますので、どうか皆さま奮ってご投稿くださいますようお願い申し上げます。

（JALP ジャーナル編集委員会一同）

日本語プロフィシェンシー研究　第 8 号

2020 年 6 月 30 日　初版第 1 刷　発行

編集　　日本語プロフィシェンシー研究学会ジャーナル編集委員会
　　　　（編集委員長　五十嵐小優粒）

発行　　日本語プロフィシェンシー研究学会　事務局
　　　　〒 598-0093　大阪府泉南郡田尻町りんくうポート北 3-14
　　　　国際交流基金　関西国際センター　東健太郎

発売　　株式会社凡人社
　　　　〒 102-0093 東京都千代田区平河町 1-3-13
　　　　TEL: 03-3263-3959

印刷　　倉敷印刷株式会社

ISBN 978-4-89358-977-4
© 2020 Japanese Association of Language Proficiency
Printed in Japan
定価は表紙に表示してあります。
落丁・乱丁本はお取り換えいたします。
本書の一部または全部を著作権者からの文書による許諾を得ずに、いかなる方法においても無断で転載、複写、複製することは法律で固く禁じられています。